BIBLIOTHÈQUE SCIENTIFIQUE

# De la science aux fourneaux

**Hervé This**

Dessins de Jean-Michel Thiriet

BELIN • POUR LA SCIENCE

8, rue Férou - 75278 Paris cedex 06
www.editions-belin.com www.pourlascience.com

## Dans la même collection aux éditions Belin-Pour la Science

Adolphe NICOLAS, *Futur empoisonné – Quels défis ? Quels remèdes ?*, 2007.
Jean-Paul DELAHAYE, *Complexités – Aux limites des mathématiques et de l'informatique*, 2006.
Denis SAVOIE, *Cosmographie – Comprendre les mouvements du Soleil, de la Lune et des planètes*, 2006.
Louis BOYER, *Feu et flammes*, 2006.
Marcel BOURNÉRIAS & Christian BOCK, *Le génie des végétaux*, 2006.
Jean-Michel COURTY & Édouard KIERLIK, *Le monde a ses raisons – La physique au cœur du quotidien*, 2006.
Alain NICOLAS, *Parcelles d'infini – Promenades au jardin d'Escher*, 2005.
Bernard VALEUR, *Lumière et luminescence – Ces phénomènes lumineux qui nous entourent*, 2005.
Étienne GUYON, Jean-Pierre HULIN & Luc PETIT, *Ce que disent les fluides – La science des écoulements en images*, 2005.
Yaël NAZÉ, *Les couleurs de l'Univers*, 2005.
Thérèse ENCRENAZ et Fabienne CASOLI, *Les planètes extrasolaires – Les nouveaux mondes*, 2005.
François MICHEL, *Roches et paysages– Reflets de l'histoire de la terre*, 2005.
Michel BLAY, *Les figures de l'arc-en-ciel*, 2005.
Jean-Paul DELAHAYE, *Les inattendus mathématiques – Art, casse-tête, paradoxe, superstitions*, 2004.
Anny CAZENAVE & Didier MASSONNET, *La Terre vue de l'espace*, 2004.
Jean LEFORT, *L'aventure cartographique*, 2004.
John KING, *Le monde fabuleux des plantes – Pourquoi la Terre est verte*, 2004.
Thérèse ENCRENAZ, *À la recherche de l'eau dans l'Univers*, 2004.
Adolphe NICOLAS, *2050 Rendez-vous à risques*, 2004.
Armand LE NOXAÏC, *Les métamorphoses du vide*, 2004.
Roland TROMPETTE, *La Terre – Une planète singulière*, 2004.
Denis SAVOIE, *Les cadrans solaires*, 2003.
François FORGET, François COSTARD & Philippe LOGNONNÉ, *La planète Mars – Histoire d'un autre monde*, 2003.
Jacques DURAND, *Sables émouvants – La physique du sable au quotidien*, 2003.
John L. HEILBRON, *Astronomie et églises*, 2003.
Jean-Michel COURTY, Édouard KIERLIK & Roland LEHOUCQ, *Les lois du monde – Notre environnement expliqué par la physique*, 2003.
Stéphane DURAND, *La relativité animée – Comprendre Einstein en animant soi-même l'espace-temps*, 2003.
Jean-Paul DELAHAYE, *L'intelligence et le calcul – De Gödel aux ordinateurs quantiques*, 2002.
Hervé THIS, *Casseroles et éprouvettes*, 2002.

**Consultez ces ouvrages et nos autres titres sur nos sites Internet :**
**www.editions-belin.com** **www.pourlascience.com**


ISSN 0224-5159 ISBN 978-2-84245-087-8

*« L'impossibilité d'isoler la nomenclature de la science, et la science de la nomenclature, tient à ce que toute science physique est nécessairement fondée sur trois choses : la série des faits qui constituent la science, les idées qui les rappellent, les mots qui les expriment [...] Comme ce sont les mots qui conservent les idées, et qui les transmettent, il en résulte qu'on ne peut perfectionner les langues sans perfectionner la science, ni la science sans le langage. »*

Antoine Laurent de Lavoisier, *Traité de chimie.*

# Table des matières

**Mise en bouche** 6

**1 – Jouons de nos sens** 16
Éloge de la superficialité 18
Les graisses sont délicieuses... 20
Flaveur indigne 22
Le rafraîchissant 24
Goûts et récepteurs 26
Les dents de l'amer 28
Biais œnologique 30
Une illusion gustative 32

**2 – Santé et alimentation** 34
Des légumes pour les os 36
Huile d'olive et santé 38
La digestibilité 40
Pigments salutaires du vin 42
Les bienfaits de la gelée royale 44
Gelées de carême 46
Qualité des viandes 48

**3 – Quelles sont les notes ?** 50
La guerre de l'échalote 52
Le parfum des choses 54
Les tanins « fondent » 56
La force révélée des tanins 58
Le goût de bouchon 60

**4 – La question des hors-d'œuvre** 62
L'œuf à 65 degrés 64
Les poissons à la tahitienne 66
Soit un œuf... 68
Le repliement en cuisine 70
Éliminons les grumeaux ! 72
Succulentes perles 74
Les gelées de thé 76
Les gels sont partout... 78

**5 – Comprendre, perfectionner** 80
Cuisine préhistorique 82
Pratiques attendrissantes 84

Cinq par jour ! 86
Le vert des haricots 88
Le goût du poulet rôti 90
Peu d'échanges 92
Poète, prends ton lut 94
Donner du goût... 96
Cardinalisation 98
Les belles (odeurs) captives 100
Vingt-trois types de sauces 102
À quoi bon ? 104
Les eaux-de-sauce 106

**6 – Sans oublier tout ce qui fait la vie belle** 108
L'aliment... terre 110
Fromages à l'artichaut 112
Fromages travaillés 114
Les cornichons au vinaigre 116
Le rassissement 118
Les cristaux de vent 120
Ce bon vieux cuivre 122
La meringue italienne 124
Le trouble du pastis 126
Les bulles dans les fibres 128
Couleur et goût des Porto 130
Détournement de cocottes 132

**7 – De la cuisine moléculaire au constructivisme culinaire** 134
La naissance des dictons culinaires 136
La cuisine épaule la chimie 138
Est-il temps ? À vous de le dire ! 140
Réalisation du pianocktail 142
*Terra incognita* 144
Parentés culinaires 146
Construisons les plats... 148
La cuisine abstraite 150

**Dernière bouchée pour la route** 152
**Glossaire** 154
**Bibliographie** 160
**Index** 165

# Mise en bouche

La cuisine, de quoi s'agit-il ? Et pourquoi tant d'entre nous l'aiment-ils ? Au fond, si la cuisine consiste à rôtir des viandes, à attendrir des légumes dans l'eau, à lier des sauces, à pétrir des pâtes..., il n'y a vraiment pas de quoi en faire... un plat.

Rôtir des viandes ? Les gestes sont d'une banalité rebutante : on prend un morceau de viande, on le place sur une broche, on chauffe, on débroche. Nombre de ceux qui cuisinent quotidiennement se lassent de cette « corvée » qu'un partage des « tâches » domestiques leur a attribuée.

Attendrir des légumes en les cuisant « à l'anglaise » ? La terminologie masque difficilement la pauvreté intellectuelle du travail : il suffit de prendre une casserole, de l'emplir d'eau, éventuellement de jeter dans cette eau une poignée de gros sel (quel geste auguste !), de chauffer (hier, il y avait l'aléatoire du feu qui ne prend pas, mais, aujourd'hui, la plaque électrique s'allume à tout coup), puis d'y mettre les légumes et d'attendre. Somme-nous bien certains de nous être élevé l'esprit, par une gestuelle si rudimentaire ? Même ceux qui voudraient se raccrocher aux branches zen de l'art du thé ou du tir à l'arc auront du mal à se persuader que déposer des légumes dans une casserole doit s'accompagner d'une ascèse infiniment morale !

Lier une sauce ? Pas besoin d'avoir fait les Écoles pour y parvenir ! Au jus qui doit prendre de la consistance, on ajoute soit quelques cuillerées de farine, soit de la matière grasse en fouettant, soit quelques protéines (généralement sans savoir qu'il y en a : dans l'œuf, dans le sang, etc.), et l'on chauffe doucement.

Pétrir ? Là non plus, ce n'est pas difficile : il faut étirer, replier, étirer, replier, étirer, replier...

Alors pourquoi cuisiner, sinon pour s'emplir l'estomac et simplement survivre ? Parce que, si aucun des gestes précédemment évoqués n'est difficile, tous sont mystérieux, quand on s'arrête pour en examiner l'effet. Par exemple, quand la sauce mayonnaise « prend », ce sont des liquides (jaune d'œuf, vinaigre, huile) qui font une consistance quasi solide ; quand l'œuf coagule, c'est un liquide chauffé qui durcit, alors que les solides fondent plutôt quand on les chauffe ; quand la viande rôtit, sa surface brunit et prend du goût... Pourquoi ces transformations extraordinaires, au sens littéral du terme ?

Oui, l'ennui de la cuisine n'étreint que celui ou celle qui, désinvolte, passe à côté des phénomènes sans les voir, celui ou celle qui se limite aux gestes, sans prêter attention aux résultats. Et puis... L'acte de cuisiner est ennuyeux quand il est uniquement technique, sans technologie, ni science, ni art.

## Impossible technologie !

La technique, c'est le faire, et l'existence même de ceux qui s'ennuient en cuisine prouve que le faire peut n'être que l'exécution du geste, sans la réflexion sur la façon dont le geste est fait. Cela dit, pourquoi ceux qui s'ennuient ne profitent-ils pas, précisément, de la possibilité technologique qu'offre la technique ? La question appelle une réponse spécifique à la cuisine, dernier « art chimique » qui n'avait pas été rationalisé avant la création de sa discipline scientifique, nommée « gastronomie moléculaire ».

Pourquoi cuisinons-nous encore comme au Moyen Âge, avec des fouets, des feux, des casseroles ? Pourquoi ce comportement périmé, alors qu'au même moment, l'humanité envoie des sondes vers les confins du Système solaire ? Pourquoi les recettes sont-elles peu différentes de celles que l'on trouve dans le *Viandier*, ce traité de Guillaume Tirel, dit Taillevent, qui vivait au XIVe siècle ? Lesquelles recettes, d'ailleurs, diffèrent peu de celles du *Re coquinaria* d'Apicius, un ensemble de textes réunis entre –400 et 300 de notre ère. Pourquoi cette apparente stagnation technique ?

Regardons les transformations culinaires avec l'œil des cuisiniers d'il y a 25 ans : nous avons oublié que, quand je leur offrais l'emploi de carraghénanes pour gélifier des liquides, de cuves à ultrasons pour émulsionner des matières grasses, d'évaporateurs rotatifs pour réduire des bouillons, et la question qui survenait quasi invariablement était celle de l'innocuité de mes propositions.

C'est un truisme de rappeler que les mets sont faits pour être consommés, et que l'on ne mange pas impunément n'importe quelle matière animale, végétale ou mélange des deux. Il a fallu des millénaires pour que l'humanité apprenne à reconnaître (et encore...) quelles plantes pouvaient être consommées, quelles parties des animaux étaient comestibles. Les livres de cuisine du passé montrent que les savoirs sont « frais ». Jusqu'au xx<sup>e</sup> siècle, on proposait de reconnaître les champignons en les mettant au contact du fer : auraient noirci ceux qui étaient vénéneux ! Depuis la Renaissance, on dit que les œufs de brochet sont toxiques, mais qui prendra le risque de vérifier ?

Il a fallu des vies humaines pour déterminer quels aliments étaient comestibles et quels aliments devaient être évités. D'ailleurs, le savoir qui a été ainsi arraché à la mort, si l'on peut dire, n'est pas fiable : les produits fumés, par exemple, sont chargés de molécules cancérogènes, qui engendrent des cancers digestifs, et bien des produits alimentaires admis mériteraient d'être reconsidérés. Les interactions ? Méfiance, aussi. L'humanité s'est limitée à un petit répertoire, par la crainte de mourir de ce qu'elle mangeait, et elle s'est dotée d'une prudence qui a fait son salut, de sorte que nous conservons des comportements médiévaux en matière alimentaire. La voilà, la stagnation technique : puisque manger du nouveau, c'est s'exposer au danger, le conservatisme est de bon aloi, et la technologie est quasi impossible en cuisine.

## La science et la technologie

La technologie, d'ailleurs, mérite d'être disséquée un peu : je distingue une technologie « locale », qui se limite à l'amélioration du geste ancien, au perfectionnement que propose celui qui a le nez sur le métier, et une technologie « globale », qui fait usage des connaissances nouvelles apportées par la science.

La technologie locale consisterait à comprendre que les fouets qui apportent des bulles d'air dans un blanc d'œuf battu en neige sont plus efficaces quand ils ont

Un panier de champignons doit nous rappeler qu'il a fallu des vies humaines pour déterminer lesquels sont comestibles.

plus de fils ; en conséquence, cette technologie propose de multiplier les fils du fouet. La technologie globale, elle, remet en cause le fouet pour le battage des blancs en neige : pourquoi ne pas utiliser, plutôt, un compresseur et une buse qui vient introduire des bulles d'air dans le blanc d'œuf ? Ou tout autre appareil qui effectue la même opération de foisonnement bien plus efficacement qu'un fouet ? C'est ce que fait le « pianocktail » dont il est question à la page 144 de ce livre.

Ajoutons, pour asseoir la distinction entre technologie locale et technologie globale, que le pianocktail ne doit que son nom à l'écrivain français Boris Vian (1920-1959) ; il a été conçu, alors qu'était cherchée une application pratique d'un formalisme mis au point pour la description des systèmes dispersés complexes. Rien à voir avec la cuisine !

D'ailleurs, la science n'a rien à voir avec les applications. Son objectif est autre : c'est la production de connaissances ! L'expression « science appliquée » est une grave faute intellectuelle, contre laquelle Louis Pasteur s'est élevé à de nombreuses reprises : « Une idée essentiellement fausse a été mêlée aux discussions nombreuses soulevées par la création d'un enseignement secondaire professionnel ; c'est qu'il existe des sciences appliquées. Il n'y a pas de sciences appliquées. L'union même de ces mots est choquante. Mais il y a des applications de la science, ce qui est bien différent. » Pis encore,

Pasteur expliquait presque la défaite de 1870 par la confusion entre science et technologie : « Non, mille fois non, il n'existe pas une catégorie de sciences auxquelles on puisse donner le nom de sciences appliquées. Il y a la science et les applications de la science, liées entre elles comme le fruit à l'arbre qui l'a porté. »

Dans la même veine, on évitera de parler de « sciences fondamentales », puisque les connaissances n'ont pas de frontière et que les attribuer à un champ disciplinaire particulier est une façon de délimiter un territoire (afin de conserver les crédits attribués ?) ou de s'épargner (paresseusement ?) la connaissance des territoires voisins. On évitera aussi de verser dans la grande erreur d'Auguste Comte, qui voulait hiérarchiser les sciences !

## Et la cuisine, dans tout cela ?

Revenons en cuisine : les phénomènes qui s'y observent ont leur science, la gastronomie moléculaire, que j'ai créée en 1988 avec le physicien britannique Nicholas Kurti. Rétrospectivement, il faut bien admettre que si l'idée était claire, le programme initial était fautif. D'ailleurs, la cuisine n'avait-elle pas fait l'objet d'études, par le passé ? L'expérience, décrite sur une tablette égyptienne, qui consistait à peser de la viande qui fermentait afin de savoir si elle perdait une « émanation », était déjà scientifique, puisqu'il y avait la recherche d'un mécanisme pour expliquer un phénomène.

Certes, la méthode expérimentale due à Bacon, Galilée ou Palissy n'était pas aussi clairement posée qu'aujourd'hui, et le calcul – distinguons-le des mathématiques, terme qui désigne la discipline – n'avait pas été reconnu comme le garde-fou théorique qu'il est aujourd'hui. Toutefois, il s'agissait déjà d'étudier des phénomènes culinaires, et cette expérience de pesée de la viande en fermentation fait partie de la préhistoire de la gastronomie moléculaire. Tout comme les expériences du grand Antoine Laurent de Lavoisier sur les proportions « convenables » de viande et d'eau lors de la confection des bouillons. Ou encore les études de Justus von Liebig, d'Alexis Cadet de Vaux, de Michel-Eugène Chevreul...

Jadis, toutefois, la science des aliments ne faisait pas dans la dentelle moderne : la caractérisation fine des aliments se mêlait à l'étude des transformations culinaires et aussi à la mise au point de procédés industriels. La gastronomie moléculaire, en 1988, a pris sa place juste, entre la science de l'aliment et la technologie des procédés. Elle se consacre aujourd'hui... À quoi, au fait ?

À la technique culinaire – on y revient enfin ! –, certainement : les gestes évoqués en tout début d'introduction et les phénomènes qui les accompagnent, lors du rôtissage d'une viande, du pétrissage d'une pâte, de la liaison d'une sauce, font l'objet d'interrogations... qui évitent l'ennui dû à la désinvolture (et non à l'uniformité : le monde ne change guère !). L'étude de cette composante de la gastronomie moléculaire a fait l'objet des premiers travaux. Alors que les résultats s'accumulaient, la discipline se dégageait de son « péché originel » : la confusion avec la technologie.

Oui, le programme de la discipline était erroné, puisqu'il comportait les cinq objectifs suivants : (1) explorer les recettes ; (2) recueillir et tester les dictons, tours de mains, adages, proverbes... ; (3) inventer des mets nouveaux ; (4) introduire de nouveaux outils, ustensiles, ingrédients ; (5) utiliser l'attrait général pour la cuisine afin de montrer les beautés de la science en général, de la chimie en particulier. Faux ! L'objectif (5) est politique, ou social. Les objectifs (3) et (4) sont technologiques.

En 2003, le programme de la gastronomie moléculaire a été recentré, alors que la « cuisine moléculaire » devenait à la mode dans le monde entier. Après deux décennies de travaux, les cuisiniers utilisent aujourd'hui de l'azote liquide pour faire leurs glaces et sorbets et, plus encore, ils distillent, infusent, gélifient à l'aide d'agents gélifiants utilisés depuis longtemps par l'industrie (et l'on doit notamment la transition à la crise de la vache folle, qui a fait rejeter la gélatine et admettre les « nouveaux » gélifiants)...

Simultanément, il est apparu – pourquoi ne l'a-t-on pas vu avant ? – que toute recette est composée de trois parties, à savoir une partie techniquement inutile, une partie qui donne la « définition » des mets, et une partie qui donne des « précisions » : regroupons sous ce nom les tours de main, trucs, astuces, adages, proverbes, on-dit, dictons... Par exemple, une mayonnaise s'obtient par dispersion d'huile dans un mélange de jaune d'œuf et de vinaigre ; c'est la définition. Ajouter du jus de citron en fin de préparation, c'est une « précision ».

Mieux encore, ces définitions et précisions doivent s'analyser du triple point de vue de l'« amour », de l'« art » et de la technique. Faire une mayonnaise qui soit une émulsion de type huile dans eau, c'est la composante technique. Faire une mayonnaise qui ait « bon » goût, c'est une question artistique. Faire une mayonnaise qui plaise aux convives, c'est une question d'« amour », au sens de vouloir donner du bonheur à autrui.

## Un projet constant : la connaissance

Si les objectifs sont maintenant clairs, le travail doit être constant. Chaque mois, dans la revue *Pour la Science*, notamment, il est fait état de résultats scientifiques, et leur application culinaire est cherchée. Ce sont ces résultats et leurs applications culinaires qui sont regroupés ici.

L'expérience montre que le « viatique » vers le bonheur alimentaire se compose de trois parties : une exploration de la physiologie sensorielle, une connaissance des effets des aliments sur l'organisme et une connaissance des ingrédients (ce que les cuisiniers nomment les « produits »). La neurophysiologie sensorielle « alimente » la première partie, la physiologie et la toxicologie la deuxième, et l'agronomie la troisième. Toutefois, les champs disciplinaires ne sont pas stricts, et les frontières disciplinaires ne sont ni nettes, ni utiles. L'objectif n'est-il pas toujours de comprendre ?

À bas les frontières disciplinaires ! Seul compte le sujet qui nous captive : la cuisine ! Si la mécanique quantique était la clé d'un délice promis, ne ferions-nous pas tous l'effort de manier des opérateurs dans des espaces de Hilbert ? La gourmandise moteur de la connaissance : est-ce condamnable ?

En tout cas, ce que montre la première partie de notre viatique, c'est que les idées fausses courent, aussi nombreuses que les ignorances, à propos de cuisine et de dégustation. S'il est maintenant bien su des neurophysiologistes sensoriels que les saveurs ne sont pas au nombre de quatre, par exemple, les livres contiennent encore des « cartes de la langue » qui prétendent que la pointe reconnaît la saveur sucrée, etc. Faux, archifaux ! Il suffit d'inviter un groupe d'individus à tremper la langue dans de l'eau sucrée ou salée pour voir que toutes les langues sont différentes. D'où la question : pourquoi tenons-nous tant à ces idées fausses sur la physiologie sensorielle ?

De même, il est prétendu – même par des « spécialistes » – que l'odorat fait 90 pour cent du goût, mais jamais cette valeur n'a été mesurée ! Pourquoi gobons-nous de telles âneries ? Est-ce parce que, parfois enrhumés, nous perdons toute perception du goût ? À ceux qui seraient tentés de tenir là une preuve de la proportion annoncée, rappelons qu'on perd aussi le goût quand la bouche est brûlée par un aliment trop chaud.

Non, notre expérience gustative quotidienne ne fait pas de nous de bons connaisseurs de la physiologie gustative, et la science tient ce rôle merveilleux de nous réfuter souvent : « Je ne suis quand même pas assez insensé pour être tout à fait assuré de mes certitudes », disait le biologiste Jean Rostand. Elle a aussi ce rôle superbe de nous montrer ce que nous ne voyions pas, ce que nous n'imaginions même pas : « soulever un coin du grand voile », disait Albert Einstein... Voire, avec les illusions, faire naître des sensations qui n'ont pas lieu d'exister !

L'aliment ingéré exerce des effets. En ces temps de confort du citoyen garanti par l'État, la terminologie « aliment santé » est partout. On a oublié que la principale question de l'alimentation fut d'abord la suffisance, en vue de l'entretien de l'organisme ! Que nous nous préoccupions du goût et de la qualité des tomates en hiver est une preuve éclatante que l'agronomie moderne a bien travaillé. Du coup, la science en est à examiner le détail, en perdant de vue le gros. On traque l'oligo-élément, la molécule antioxydante qui – croit-on – nous évitera le vieillissement pourtant inéluctable, on explore les vertus des aliments... et l'on finit par ériger en dogme des observations parfois bien ponctuelles.

Certes, il n'est pas sain de se limiter à un régime insuffisamment varié ou déséquilibré. Toutefois, la question de l'« alimentation santé » n'est pas une nouveauté, puisqu'elle était déjà celle de la cuisine médiévale, où l'on combattait les déséquilibres des tempéraments par des idées – fausses – hâtivement extrapolées de la théorie aristotélicienne – elle-même fausse – des quatre éléments : la terre, l'eau, l'air, le feu.

Aujourd'hui, un certain commerce a beau jeu de voir dans les aliments les vertus de leurs molécules constitutives : le nombre de molécules est si grand, dans tout aliment, que l'on parvient aussi bien à justifier les vertus de l'huile d'olive que celles de la charcuterie, de la truffe que de la pomme de terre... Moralité : mangeons de tout en quantités modérées et équilibrées.

Il restera de ces entreprises nutritionnelles parfois dans l'erreur que la connaissance des aliments progresse quand la nutrition est exercée par des instituts de recherche qui ne dépendent pas de l'industrie alimentaire, et que le cuisinier est éclairé par la science. Si les polyphénols de l'huile ou du vin n'ont pas toutes les vertus qu'on leur prête, ils n'en restent pas moins des polyphénols, parfois capables de se lier à des protéines et de contribuer au goût des mets. Si l'on identifie que le goût de bouchon n'est pas dû à une molécule – ce qui est simple est toujours faux, disait Paul Valéry –, mais à plusieurs, alors il devient possible de se demander comment l'éliminer lors de la cuisson d'un vin bouchonné, et seulement à ce moment-là.

## Explorations

Ces études que l'on tire vers la cuisine ne remplacent pas les études de la cuisine elle-même. Celle-ci prête le flanc à la science par les phénomènes qu'elle présente, puisque la science est la recherche des mécanismes par la méthode expérimentale. La viande grillée brunit : pourquoi ? Le homard poché rougit : pourquoi ? Le blanc d'œuf chauffé coagule : pourquoi ? De la farine jetée dans de l'eau chaude forme des grumeaux : pourquoi ? Autant de phénomènes, autant d'explorations, avec, à la clé, autant de découvertes possibles.

Dans ces champs bien balisés par la physico-chimie, de nouvelles particules, tel le boson de Higgs, ne seront pas au rendez-vous, mais le « fou de cuisine » tirera de son côté les explications proposées par la science afin de perfectionner ses préparations. Des hors-d'œuvre aux desserts, il trouvera de quoi faire mille transferts technologiques. Autant dire que chacun y trouve son compte. Le scientifique pour lequel la Connaissance nous sépare de l'animalité qui nous tient par le ventre retient de ces études de nouveaux éclairages, de nouveaux savoirs. Le technologue, qui préfère l'action et s'émerveille du creusement du canal de Panama (aujourd'hui les grands ponts ou les sondes envoyées vers Mars), utilisera les données nouvelles pour innover, créer des mets nouveaux, perfectionner les mets anciens. Le technicien qui fait et ne se contente pas de faire faire passera en cuisine, sans attendre, et proposera à ses convives des préparations inconnues de ceux-ci ou des mets anciens rénovés à la lueur des connaissances nouvelles.

Pas un de nos mets ne mérite d'échapper à ces trois corps d'individus. Le moindre phénomène doit être scruté par la science, parce que s'y niche peut être la clé de plaisirs gastronomiques insoupçonnés. D'ailleurs, il faut dire que les critères des scientifiques, des technologues et des techniciens sont « perpendiculaires ». Telle connaissance nouvelle qui émerveille le chimiste, le physicien, le biologiste laisse de glace le technicien ou le technologue qui n'en voient pas encore les possibilités pratiques. Inversement, tel mécanisme trop classique ou trop simple, derrière un phénomène, pourra se révéler bien utile au technologue ou au technicien..., sans compter que la technique se double parfois d'art, et que Rembrandt n'avait besoin que d'un morceau de charbon pour faire une œuvre que l'on s'arrache aujourd'hui.

## Et demain ?

En 1894, le chimiste Marcellin Berthelot prévoyait – il est vrai que c'est un discours prononcé lors d'un banquet, lieu où l'on boit – que l'on mangerait en l'an 2000 des tablettes nutritives entièrement synthétiques. Il prévoyait d'ailleurs aussi la fin des guerres ! Son « demain » est notre aujourd'hui, et les guerres s'enchaînent encore, hélas. Par chance, la première des deux prévisions est aussi fausse que la seconde : nous ne sommes pas réduits aux tablettes nutritives, et, mieux encore, l'analyse des livres de cuisine montre que, non seulement l'agronomie est venue à bout des famines (pas universellement il est vrai), mais aussi elle a amélioré nos aliments.

Comme j'entends des grondements de la part de nostalgiques de l'alimentation de leur enfance, je me hâte d'arriver à mon but : je pose à nouveau la question du « que mangerons-nous demain ? ». Le meilleur moyen de deviner l'avenir consiste à l'anticiper par l'action : nous mangerons demain ce que nous apprenons à cuisiner aujourd'hui ! Déjà, l'avènement de la cuisine moléculaire, qui a été ce moment – historique – de transfert technologique accompagnant un début de rationalisation de cet art chimique qu'est la cuisine, a apporté dans nos assiettes des mets forgés par des ustensiles qui n'étaient pas auparavant dans les cuisines, agissant sur des ingrédients qui n'étaient pas employés non plus.

C'est un début, mais nous pouvons faire bien mieux, pour peu que nous ouvrions grandes les portes de la science. Nous mangerons demain ce que notre imagination nous aura permis de découvrir : rêvons... oui, mais rêvons efficacement, munis des connaissances nécessaires pour que ce rêve prenne ensuite de la consistance. Rêvons activement, dotés d'un bon viatique, avant de passer en cuisine actuelle, exercice qui nous préparera à aborder une cuisine de demain.

## Avant de partir

Pour partir à la découverte d'un terrain nouveau, il faut un viatique suffisant : argent, provisions de bouche (qui s'imposent, ici !), etc. L'exploration du monde physico-chimique de la cuisine pose la question de la connaissance des mets, ingrédients, transformations. Idéalement, nous devrions avoir l'ensemble de la chimie et de la physique dans notre baluchon pour ce voyage dans le grand monde culinaire, mais aucun d'entre nous n'est assez riche.

Et si nous nous lancions quand même, avec notre petit bagage, audacieux au point de penser trouver en route de quoi poursuivre notre chemin ? Les textes qui suivent comportent ainsi des « auberges » ou des « tables d'hôte » où le couvert sera mis, où l'on présentera les phénomènes les plus importants (diffusion, osmose, condensation, réactions de Maillard), mais il n'est pas inutile de nous charger un peu avant de partir.

Souvenons-nous que la matière habituelle est faite de « phases » : gaz, liquides, solides. Les gaz ne se mangent guère, quoi qu'il soit amusant de consommer un aliment empli d'hélium et de s'entendre parler avec une voix de canard pendant quelques instants (la vitesse du son étant différente dans l'hélium, le spectre sonore produit par les vibrations de nos cordes vocales nous fait une voix modifiée). Les liquides ? Ils sont, en

Des cristaux de vent. N'est-ce pas mieux qu'un ensemble réduit à eau, protides, lipides, glucides, sels minéraux ?

cuisine, de deux types principaux, dénommés « eau » et « huile ». Le cuisinier ou la cuisinière sait bien que l'eau est quasi proscrite en cuisine, parce qu'elle a la grave faute de goût... de manquer de goût. Dans les textes qui suivent, l'eau n'est pas l'eau « pure », ce liquide dangereux qui trouble l'absinthe, disait Alphonse Allais. L'huile ? Malgré les réclames pour les vertus nutritionnelles de celle d'olive, il serait bien triste de ne disposer que d'elle.

Que sont alors l'eau et l'huile ? Le physico-chimiste désigne par « eau » tout liquide composé majoritairement d'eau, toute « solution aqueuse ». Ainsi, pour le physico-chimiste qui pense (pas celui qui boit !), le vin est de l'eau, tout comme le jus d'orange, le bouillon, le thé, le café, etc. De même, le foie gras fondu rejoint le chocolat fondu, le fromage fondu, le beurre (noisette ou non) fondu dans la catégorie nommée « huile », où l'on trouve aussi, bien sûr, les huiles d'amande, de noix, d'olive, de pistache, de noisette, etc. Les solides, eux, sont bien durs, pour être consommés en bloc ; aussi n'oublions pas qu'ils restent des solides quand ils sont divisés en poudre, en bâtonnets (« julienne »), etc.

De quoi sont faites ces phases, en cuisine ? Un certain catéchisme veut qu'elles soient protides, lipides ou glucides, parfois sels minéraux. Mouais... Les aliments sont d'abord faits d'eau, la vraie, celle dont les molécules sont composées d'hydrogène et d'oxygène. Et il est exact que bien des molécules des aliments sont dans les trois catégories mentionnées. Toutefois, ces termes sont chimiquement obscurs pour qui ne les connaît que par ouï-dire, et insuffisamment précis pour qui les connaît intimement.

## Ouvriers et artisans

Par exemple, par protides, on entend aussi bien les protéines que les acides aminés. Expliquons par l'exemple : le blanc d'œuf est fait de 90 pour cent d'eau, comme le montre l'expérience qui consiste à le chauffer doucement sur un radiateur ou dans une poêle antiattachante : sa masse initiale, d'environ 30 grammes, est réduite à 3 grammes, qui se présentent sous la forme d'une plaque jaune et solide. Cette plaque s'apparente à une feuille de gélatine, par son aspect et par sa composition : dans les deux cas, elle est faite de molécules de protéines.

Molécules de protéines ? Pensons simplement à des fils sur lesquels seraient enfilées des perles. Selon les cas, ces colliers sont repliés sur eux-mêmes (roulés en boule) ou non. Les perles ? Ce sont les « acides aminés » qui étaient évoqués. Ou plutôt non : les perles ne doivent être nommées acides aminés que quand elles sont encore sous la forme de perles indépendantes, mais elles devraient rigoureusement être nommées « résidus d'acides aminés » quand elles ont réagi, car il est vrai que, ayant perdu des atomes lors des « condensations » qui les lient, ce ne sont plus des entités chimiques strictement identiques à ce qu'elles étaient initialement. Dans notre voyage au pays des mets et de la cuisine, toutefois, nous ne ferons pas ces distinctions. Marchons droit, sans nous soucier des aspérités du chemin, afin de gagner du temps !

Ah, j'oubliais : les protéines sont de deux types. Certaines constituent les organismes : elles en sont des briques. D'autres, les enzymes, sont des ouvriers. Ainsi l'amylase alpha, enzyme présente dans la salive, « hydrolyse » l'amidon de la farine pour produire des sucres.

## Les graisses

Les lipides ? Là encore, la catégorie n'est pas ce que l'on croit souvent. Les réclames des sociétés alimentaires font souvent croire que les corps gras sont faits d'acides gras, et l'on nous assomme d'acides gras saturés, insaturés, monoinsaturés, polyinsaturés, oméga 3, oméga 6..., jusqu'à nous faire croire que ces acides gras sont dans les graisses.

C'est faux ! L'huile contient surtout des triglycérides, molécules dont la structure chimique a été élucidée par le chimiste français Michel-Eugène Chevreul. La structure ? Pensons à des peignes à trois dents : le manche du peigne serait le glycérol, et les dents des acides gras. Plus exactement, un résidu glycérol et des résidus d'acides gras, puisque, à nouveau, les molécules ont perdu des atomes pour s'associer.

Ajoutons qu'il est faux d'assimiler les lipides aux triglycérides. D'une part, les acides gras (ils existent aussi à l'état libre) sont des lipides et, d'autre part, les « phospholipides » sont une classe importante de lipides. Une classe vitale, même, puisque toutes les cellules vivantes sont limitées par des membranes faites par l'assemblage de ces molécules de phospholipides. Leur structure ? Imaginons une tête électriquement chargée, avec deux « pattes » que sont deux acides gras. La tête est « hydrophile », ce qui signifie qu'elle se place facilement dans l'eau. Les deux pattes sont « hydrophobes », ce qui signifie qu'il faudrait leur donner beaucoup d'énergie pour qu'elles aillent se mêler aux molécules d'eau, et que, en conséquence, elles se regroupent plutôt avec des molécules de leur espèce. C'est ainsi que des molécules de phospholipides, telles les lécithines du jaune d'œuf, mises dans l'eau, forment spontanément des « micelles », avec les queues regroupées au centre de ces sortes de sphères qui présentent les têtes hydrophiles à l'eau, ou que les phospholipides, dans les organismes vivants, s'assemblent en doubles couches, les pattes se faisant face au centre de ces doubles couches, les têtes plongeant dans l'eau.

## Du ressort pour la journée

Les glucides, maintenant. Cette catégorie est vaste. Immense, même, et hétérogène. Les sucres les plus simples en font partie : citons le glucose, qui est le carburant de nos propres cellules (n'est-il pas amusant de penser que nous sommes des assemblages de cellules, toutes vivantes individuellement, mais qui se parlent ?) et qui est également présent dans la majeure partie de nos aliments. Ou au fructose, qui est largement présent dans les végétaux. Le saccharose, ou sucre de table (bien que nous puissions utiliser aussi bien du glucose ou du fructose, en cuisine, avec des saveurs différentes : pourquoi resterions-nous peureusement collés au saccharose ?), est une molécule un peu plus grosse, puisque composée des deux premières. Et, de proche en proche, nous pouvons imaginer des glucides de plus en plus gros, jusqu'à l'amylose et à l'amylopectine, qui constituent les grains d'amidon de la farine. Ces deux molécules sont assemblées par les végétaux, glucose après glucose, en longues chaînes, en arbres très ramifiés.

La catégorie des glucides est un monde très diversifié. À côté de ces amylose ou amylopectine, n'oublions pas la cellulose (si nous voulons la voir pure, regardons du coton hydrophile dans notre armoire à pharmacie), les hémicelluloses, les pectines, qui font prendre les confitures, la chitine, qui est ce polymère présent dans les carapaces de crevettes ou dans les champignons... Et tant d'autres « polysaccharides » !

Les « sels minéraux » ? Les « oligo-éléments » ? Et toutes les autres molécules ? Mon vieil ami Jean Jacques, qui fit toute sa carrière de chimiste au Collège de France, disait souvent que « à haute dose, la chimie est empoisonnante ». Ne détaillons pas trop sans être puissamment motivés, sous peine de faire un cours *ex cathedra*, lassant, parce que sans motif. Le cas échéant, les pages qui suivent donneront les informations manquantes. Pas une seconde à perdre, passons en cuisine et en science.

## Travaux exploratoires

Observons cette fois ces merveilleux phénomènes qui sont mis au jour par le travail culinaire lors de ces transformations chimiques ou physiques mises en œuvre par la cuisinière ou le cuisinier. À ce propos, il faut que je fasse état d'une erreur personnelle. Dans des écrits antérieurs, je me suis laissé aller à prétendre que la cuisine, c'est de la chimie et de la physique. Je me rétracte, j'avoue mon erreur, je me verse des cendres sur le front, je déplore la petitesse de mon esprit ! Oui, car la cuisine n'est pas de la chimie, elle n'est pas de la physique. La cuisine est une technique, une pratique, qui produit des mets. La chimie, elle, est une science, qui produit – exclusivement – des connaissances. Le mets n'est pas la connaissance ; ce n'est pas le mécanisme que l'on propose pour comprendre un phénomène.

D'ailleurs, je dénonce une certaine confusion entre la chimie-science et ses applications, souvent nommées également chimie. Non, ce n'est pas la chimie qui a fait exploser la ville de Toulouse, il y a quelques années, et ce n'est pas la chimie qui a gazé les Poilus à Verdun ou à Ypres : ce sont des personnes qui sont responsables, dans deux cas, et il est trop facile – et lâche – de faire porter la faute sur une discipline scientifique. De même, Pierre et Marie Curie ont beau avoir exploré la structure de l'atome, ils ne sont pas responsables d'Hiroshima. Si la confusion règne, il faut la lever par des mots justes. Je propose de nommer « technologie moléculaire » les applications de la chimie-science. Il faudra, de même, nommer d'un nom particulier les applications de la physique, de la biologie...

Nous sommes donc, à nouveau, en terrain sain. Les faits sont que la cuisine est une pratique, qui met en œuvre des phénomènes, lesquels sont étudiés par la gastronomie moléculaire, qui est une branche particulière de la physico-chimie, à moins que ce ne soit une branche particulière de la chimie physique : l'hésitation dont je viens de faire état n'est-elle pas la preuve que la Science est une, sans que des frontières nettes puissent être tracées ?

Bref, des transformations ont lieu, en cuisine (on coupe, on chauffe...), et des phénomènes sont observés : le soufflé gonfle (dans les bons cas !), la mayonnaise « prend », la béarnaise « se lie », l'œuf coagule... Chaque phénomène mérite une analyse, un travail scientifique. Et comme les phénomènes sont nombreux, les études sont nombreuses aussi. Comment s'y retrouver dans l'immensité des études ? Comment faire un peu d'ordre ? Restons en cuisine ou à table, qui sont des lieux familiers, avec des menus qui distinguent les hors-d'œuvre, les plats de résistance, les accompagnements.

Par « hors-d'œuvre », nous entendons non seulement des hors-d'œuvre habituels, mais aussi des hors-d'œuvre scientifiques, à propos de grands principes qui méritent d'être connus – et, mieux, utilisés – par l'ensemble des cuisinières et des cuisiniers. Par exemple, s'il est exact que l'on peut produire de la croustade, du pastis gascon ou du strudel en amincissant une boule de pâte jusqu'à en faire une feuille transparente, il reste vrai que la compréhension de la puissance de la fonction exponentielle s'impose pour arriver bien plus rapidement à la pâte feuilletée !

Ces principes établis, il y a des phénomènes particulièrement importants en cuisine : le brunissement des viandes que l'on rôtit, la diffusion des molécules odorantes ou sapides, les changements de couleur... Cette fois, nous sommes dans le « plat de résistance ». C'est le cœur de la cuisine, qu'il faut explorer pour bien comprendre combien la cuisine est une activité culturelle centrale.

Enfin, il faut surtout garder l'œil ouvert, à l'affût de la moindre observation stimulante, à propos de la moindre préparation culinaire... pour comprendre que l'empirisme culinaire, s'il n'a pas été capable de construire un édifice intellectuel cohérent – comment l'aurait-il pu, vu sa nature empirique ? –, a néanmoins, par son cheminement erratique, mis au jour mille phénomènes qui seraient sans doute passés autrement inaperçus.

Un exemple : la compote de poires, dont quelques cuisiniers ont dit qu'elle virait au rouge quand on la cuisait dans une casserole de cuivre étamée. L'expérience montre que, non, les poires ne rougissent pas quand on les cuit dans une casserole en cuivre étamé. Pourquoi, alors, cette « précision culinaire » ? Les études ont montré que l'on peut faire rougir la plupart des poires, à la cuisson, non pas en leur ajoutant du vin rouge, mais en comprenant que leurs composés polyphénoliques (pas d'inquiétude : le terme est expliqué dans les pages qui suivent) donne une couleur qui dépend de l'acidité. Ce que les cuisiniers d'antan avaient observé, c'est que les poires les plus acides (mais, en bouche, cette acidité était masquée par le sucre) rougissaient, et ils avaient – c'était une erreur – attribué ce changement de couleur à l'étain, qui, il est vrai, fait virer les fruits rouges au violet !

La cuisine est pleine de ces étranges détours historiques qui donnent du grain à moudre à la science. Naturellement, ce sont là de « petits faits », mais à nous d'y trouver, en germe, des généralisations importantes pour la cuisine... et pourquoi pas pour la science ? On verra notamment que la question de la diversité des sauces a conduit à l'établissement d'un formalisme analogue à celui de la chimie, mais pour les systèmes dispersés complexes (on disait naguère « colloïdaux »). Et l'on verra comment un tel formalisme conduit non seulement à des études de science, mais aussi à de nombreuses applications pratiques.

Oui, l'Ingénieur qui « y pense toujours » (comme disait Louis Pateur) peut faire feu de tout phénomène, de toute connaissance, en cuisine comme ailleurs. Mais ici en cuisine.

## Que mangerons-nous demain ?

Nous l'avons vu, le fantasme de la tablette nutritive, de la pilule, nous hante, au moins depuis le discours du chimiste français Marcellin Berthelot. Ce dernier n'avait pas compris la grande leçon de l'Évolution : les phénomènes du vivant sont dictés non par la chimie, mais par des milliards d'années qui ont imposé leur loi. Vivants en tant qu'individus, nous sommes surtout des représentants d'une espèce qui a « réussi »... au moins à se reproduire et à survivre, malgré les prédateurs, aux dépens de proies.

Notre appareil sensoriel est d'abord forgé pour ce but : échapper aux prédateurs, capturer les proies, trouver des partenaires sexuels en vue d'assurer une descendance. La grande erreur de Berthelot est d'avoir omis ce point et, peut-être surtout, d'avoir voulu placer la chimie en position dominante, alors que la science doit être « au service ». Au service de l'humanité et de sa culture (ce qui nous fait humain !), parce qu'elle procure du sens, donne de l'intelligibilité, au service de l'industrie, en ce que les connaissances produites peuvent être appliquées par la technologie.

Tout cela pour dire que, si l'exercice de prévision est bien hasardeux, il y a des faits. D'une part, les pilules ou les tablettes sont des fantasmes, des craintes. D'autre part, on a vu la crise de la vache folle avoir pour conséquence que les cuisiniers professionnels, qui tenaient à leurs aspics, leurs bavarois, rejetaient la gélatine, utilisée depuis des millénaires, pour user des gélifiants nouveaux, auxquels ils jetaient pourtant l'anathème dans les années 1980 ! Personne n'avait prévu ce changement que la gastronomie moléculaire souhaitait toutefois (aujourd'hui, la crise de la vache folle semble terminée, et le piano des cuisiniers s'est donc enrichi de nouvelles « notes »).

Prévoir le futur ? Ne tentons pas le diable, et cherchons plutôt à voir comment nous pourrions contribuer à modifier le futur de la cuisine. Certes, les temps sont à l'écologie, et l'on pourrait imaginer que ce grand mouvement de conscience citoyenne s'oppose à l'emploi de molécules en cuisine. Pourtant, les lois économiques s'imposent, et si les viticulteurs de certaines régions en sont à jeter au ruisseau leurs excédents, on peut aussi imaginer que des fractionnements des vins en excès, dans la mesure où ils produiront des polyphénols utilisables en cuisine, seront appréciés de tous, agriculteurs et cuisiniers. Avez-vous déjà goûté de tels polyphénols ? N'hésitez pas, et vous m'en direz des nouvelles, si vous êtes vraiment gourmand. C'est si facile à utiliser : il suffit d'en mettre quelques pincées...

Dans les pages qui suivent, on verra aussi comment des calculs conduisent à une infinité de mets nouveaux, ce qui réfute l'idée de Brillat-Savarin, selon laquelle la découverte de mets nouveaux contribue davantage au bonheur du genre humain que la découverte d'une étoile. Non, ce serait trop facile, ainsi. Et puis, on verra que l'annonce d'une infinité de mets nouveaux n'est pas une exagération, au contraire : plus exactement, c'est trois infinités de mets nouveaux auxquelles la gastronomie moléculaire a conduit !

La question est surtout : lesquels produire ? Pratiquement, lesquels de ces mets nouveaux les cuisinières et les cuisiniers produiront-ils ? Et pourquoi ceux-là ? À ce stade, il est de toute première importance de reconnaître que la cuisine, c'est d'abord de l'amour, puisque le but est de donner du bonheur aux convives. L'idée est un vœu, pas une généralité universelle : pour Tayllerand, la cuisine était du pouvoir ; pour quelques-uns, c'est de l'argent. Toutefois, si nous conservons l'idée la plus généreuse et la plus conforme à l'esprit aimable de la gastronomie, alors nous disposons d'un « filtre » pour choisir quels plats

Antoine Laurent de Lavoisier (1743-1794), père de la chimie moderne, s'est intéressé à la cuisine.

nouveaux mériteront notre attention..., à moins que, puisqu'il est question d'amour, ce filtre ne s'écrive philtre !

Il y a aussi la question artistique, à ne pas négliger. On verra dans les pages qui suivent comment la cuisine pourrait être non figurative, abstraite. En d'autres lieux, j'ai proposé qu'elle puisse être fauviste, cubiste, impressionniste, néo-impressionniste... Oui, la cuisine peut être tout cela, pour peu que nous parvenions à nous décoller de la « tradition ».

Tradition, transmettre : la tradition est ce qui nous a été transmis. Le steak frites, le gigot aux haricots, l'œuf dur mayonnaise, la béarnaise avec le brochet, la choucroute, le pot-au-feu, le cassoulet, la fougasse, la galette de blé noir, le pâté, la terrine... J'aime comparer tout cela à la musique classique, après laquelle il y eut tant de belles compositions : Debussy n'est pas Mozart et, loin de le faire disparaître, il a, au contraire, augmenté nos plaisirs musicaux. Et si le « constructivisme culinaire », qui abandonne la tradition, était une nouvelle façon d'augmenter les plaisirs ? Et si nous acceptions enfin de manger des mets nouveaux ?

La conséquence serait claire : la « tradition » que nous transmettrions aux générations qui nous suivront serait enrichie des travaux de notre époque. N'est-ce pas un petit minimum que de contribuer à augmenter à la fois la connaissance des phénomènes culinaires et le répertoire de la cuisine ?

CHAPITRE 1

# Jouons de nos sens

La physiologie sensorielle est une science qui se préoccupe de perception. La vue, l'olfaction, l'audition, le toucher, l'équilibre... Pour chaque sens, il y a des stimuli et des réactions de l'organisme, interprétés par ce merveilleux organe qu'est le cerveau. Cette science semble bien éloignée de la cuisine parce que, dans son nécessaire réductionnisme (décomposer les phénomènes pour les étudier), elle s'éloigne nécessairement du mangeur et, *a fortiori*, du cuisinier, lequel se préoccupe de transformations culinaires.

Jean-Anthelme Brillat-Savarin, l'auteur de cette *Physiologie du goût* qui a traversé les langues et les siècles, a voulu fonder une physiologie du goût, au point qu'il se donne du « professeur », dans son livre. À vrai dire, son livre n'a que l'apparence de la science, le titre et quelques parties, qui énoncent ce qu'un esprit démuni de la méthode expérimentale propre à la science peut dire des phénomènes observables. Non que la *Physiologie du goût* soit un mauvais livre, bien au contraire, mais c'est un livre de gastronomie, pas de physiologie. La gastronomie est « la connaissance raisonnée de tout ce qui se rapporte à l'Homme en tant qu'il se nourrit », dit justement Brillat-Savarin. Discours raisonné, et non production de mets. Notre grand Ancien regroupe une foule de données hétéroclites, de connaissances, d'*a priori*, d'observations, d'anecdotes, tant il est vrai que l'anecdote est la sauce qui lie les morceaux de viande, le piquant indispensable pour aiguiser l'appétit d'apprendre...

Bref, Brillat-Savarin, qui était conseiller à la cour de cassation, après avoir été l'un des envoyés de sa province au Tiers État, était magistrat, et non scientifique. Pourtant, ce livre a fait beaucoup pour que se développent un intérêt et des connaissances, notamment sur la physiologie sensorielle.

Le goût est une sensation synthétique. La vue est importante, comme on le verra. L'ouïe aussi, bien que son influence soit moins bien connue. L'odeur a sans doute été surestimée, mais la science a progressé et, dans les dernières années, les études de biologie moléculaire ont fini par identifier les récepteurs olfactifs. Les saveurs ? La lanterne rouge, en raison d'*a priori* lancinants... Mais les temps changent.

Le grand Antoine-Laurent de Lavoisier a bien expliqué que l'on ne pourrait pas perfectionner la science sans perfectionner le langage, et *vice versa*. Pour progresser dans la science du goût, il faudra sans doute introduire de nouveaux mots (sapiction, par exemple, pour désigner la perception de molécules sapides), en tuer d'autres (flaveur), afin de régler le problème de la Tour de Babel de la physiologie sensorielle !

# Éloge de la superficialité

**Nous ne mangeons pas plus loin que notre langue.
Et l'impression superficielle est non seulement la plus profonde, c'est bien souvent la seule.**

La différence entre une mayonnaise réussie et une mayonnaise ratée ? La disposition des mêmes molécules. Dans le cas raté, les molécules d'eau apportées par l'œuf et le vinaigre sont au fond du récipient, avec l'huile par-dessus ; dans l'autre, réussi, les molécules de l'huile sont réparties en gouttelettes dans la phase aqueuse. Cette organisation change tout : notre bouche vient au contact de l'eau dans le cas réussi, mais au contact désagréable de l'huile dans le cas raté.

D'autres exemples où la structure détermine le goût ? Comparons de l'eau chauffée où l'on fouette du beurre, et du beurre chauffé où l'on ajoute de l'eau en fouettant. Avec des compositions égales en beurre et en eau, les résultats, pourtant ramenés à la même température ambiante, sont bien différents. Avec la préparation beurre dans eau, on obtient une pommade, parce que les gouttelettes de matière grasse, si elles durcissent en refroidissant, restent séparées par un film d'eau : ce système est une suspension. En revanche, dans le traitement eau dans beurre, la consistance est plus ferme, parce que le beurre forme la phase continue où l'eau est dispersée ; à température ambiante, la proportion de molécules de triglycérides du beurre à l'état solide est de 50 pour cent environ, suffisante pour constituer une architecture solide, tenue par les forces d'empilement des cristaux de triglycérides. Différentes cohésions, différentes consistances.

## Les fonctions de la cuisson

Poursuivons notre analyse avec un rôti de bœuf. À quoi sert de le cuire ? Évidemment la chaleur tue les micro-organismes pathogènes qui colonisent la surface de la viande, mais la cuisson semble plutôt un handicap gustatif parce qu'elle durcit la viande, coagulant les protéines qui sont dans les « fibres musculaires » qui composent la viande. Cette analyse est insuffisante : la viande rôtie ou grillée prend du goût... en surface, et en surface seulement. Des réactions nommées réactions de Maillard et bien d'autres (oxydations, hydrolyses, etc.) donnent à la croûte un goût puissant de rôti. En bouche, nous percevons d'abord ce goût et ignorons que l'intérieur de la viande a le même goût qu'une viande crue (ce qu'elle est... quand la viande est cuite « saignante »).

## L'art du chevalier tranchant

Cette observation explique la différence gastronomique entre la découpe du gigot d'agneau à la française et à l'anglaise. La première se fait perpendiculairement à l'os, et la seconde parallèlement. Les morceaux de viande, d'une part, n'offrent pas des fibres musculaires arrangées de la même façon : dans un cas, c'est le type « entrecôte », avec les fibres perpendiculaires, et dans l'autre, c'est le cas « onglet », avec des fibres parallèles à la surface. D'autre part, la découpe à

l'anglaise offre des tranches homogènes, toutefois plus ou moins cuites et grillées, alors que la découpe à la française donne à chaque convive un peu de surface brune, bien cuite, goûteuse, et un peu d'intérieur moins cuit, plus saignant, avec davantage de goût d'agneau *sui generis*.

## Sens dessus dessous

Comment utiliser en cuisine l'idée selon laquelle la surface est importante ? Partons d'un cube de viande, et découpons-le en trois tranches, la tranche centrale étant deux fois plus épaisse que chacune des tranches supérieure et inférieure. D'une part, cuisons la tranche centrale à basse température (vers 60 °C), très longuement, dans un bouillon, afin de dissoudre le tissu collagénique qui fait la viande dure : après plusieurs heures de cuisson, la viande peut devenir tendre comme du beurre. D'autre part, chauffons les deux autres tranches de viande afin d'en évaporer l'eau et de les durcir. Puis remettons les trois parties en place : nous avons ainsi obtenu, par assemblage, ce que le rôtissage fait indistinctement, d'un coup, et sommes certains d'avoir du croquant en surface, et du tendre à l'intérieur. À titre de comparaison, testons un assemblage fait, de bas en haut, d'une demi-couche tendre, des deux couches dures, et d'une demi-couche tendre à nouveau.

Nous obtenons le même effet, en sucré, en comparant deux lames de chocolat entre lesquelles une mousse a été disposée, ou bien deux lames de chocolat superposées, prises dans une mousse : dans le premier cas, les dents tombent sur les lames dures, et nous sentons leur dureté, malgré la mousse ; dans le second, les dents s'enfoncent dans la mousse, jusqu'à atteindre les lames dures. Chaque fois, les ingrédients sont les mêmes, mais ils sont disposés différemment… et, en plus de l'apparence plus ou moins appétissante, nous percevons d'abord le goût des parties superficielles, qui déterminent notre perception. « Seuls les gens superficiels ne jugent pas en fonction des apparences » pressentait le prémonitoire Oscar Wilde.

# Les graisses sont délicieuses...

**... parce qu'elles sont (aussi) associées à une sensation de chaleur en bouche, les produits les plus gras semblant les plus chauds.**

Les graisses sont, pour la santé des Occidentaux, un fléau d'autant plus redoutable qu'elles sont appréciées. Pourquoi en sommes-nous friands ? D'abord, parce qu'elles dissolvent les molécules odorantes : le beurre mal enveloppé dans le réfrigérateur « prend les odeurs ». Ainsi les graisses piègent-elles les parfums.

Les odeurs captées sont restituées lors de la consommation des graisses : le réchauffement des aliments, dans la bouche, libère les molécules odorantes, car les liaisons entre les molécules dissoutes et les graisses servant de « solvant » sont aisément rompues. Montant dans le nez, les molécules odorantes libérées contribuent puissamment au goût des aliments : d'où l'appréciation des graisses. D'autre part, les graisses lubrifient la muqueuse de la bouche, contribuant à une sensation onctueuse appréciée.

## Le gras et le chaud

Au Centre des sciences alimentaires de Wageningen, aux Pays-Bas, Jon Prinz et ses collègues explorent aujourd'hui un troisième mécanisme de détection des graisses : la sensation de chaleur que les molécules des graisses induisent dans la bouche. Leur travail découle d'une découverte effectuée en 2003 : des dégustateurs à qui l'on avait soumis des mayonnaises contenant des teneurs différentes en graisses avaient signalé des différences de température... alors que tous les échantillons étaient à la température ambiante. Les mayonnaises les plus grasses semblaient les plus chaudes !

Les physiologistes néerlandais ont repris cette expérience : ils ont testé, avec des dégustateurs entraînés, des crèmes anglaises et des sauces mayonnaises contenant des proportions différentes de matière grasse (trois teneurs, entre 0 et 3 pour cent, pour la crème anglaise, et avec un taux d'huile compris entre 1 et 82 pour cent pour les mayonnaises), stabilisées à une même température. Ces études ont confirmé une très forte corrélation entre la température perçue et le pourcentage de graisse.

Pour évaluer la précision du système physiologique de détection de la température par la bouche, les physiologistes ont utilisé de petits systèmes chauffants, couplés à des capteurs de température, et ils ont découvert que la lèvre inférieure est la partie de la bouche la plus sensible aux variations de température (0,08 °C), variation qui est ressentie en moins d'un dixième de seconde ! La lèvre inférieure est plus sensible que le tiers antérieur de langue (sensibilité de 0,26 °C) et que le tiers médian (1,36 °C) : les pâtissiers ont raison de tester leurs fondants de sucre et autres produits avec la lèvre inférieure.

## Récepteurs et évaporation

La détection du chaud et celle du froid se font par deux systèmes de récepteurs différents, de sorte que la question initiale se divise en deux : il faut expliquer la sensibilité au

chaud, d'une part, et la sensibilité au froid, d'autre part. Cette dernière peut s'expliquer par l'intérêt sanitaire qu'avaient nos ancêtres à boire l'eau claire et fraîche des ruisseaux et rivières, plutôt que l'eau croupissante et tiédasse des mares.

En opposition, comment la sensibilité au chaud est-elle apparue chez les mammifères ? La détection du chaud dans la bouche a sans doute une fonction particulière liée à l'alimentation ; certains ont avancé que cette sensibilité aurait facilité la recherche des mamelles de la mère, mais la vue et l'olfaction ne suffiraient-elles pas ? Et pourquoi la capacité de détecter le chaud aurait-elle persisté chez l'adulte ?

Chez de nombreux animaux qui ne suent pas, tels les chiens, les récepteurs thermiques du corps mesurent l'humidité de l'air et règlent l'évaporation par la muqueuse orale, qui refroidit l'animal (de la même façon, nous sommes transis par le froid quand le vent nous balaye au sortir d'un bain de mer).

Les physiologistes néerlandais ont proposé que les aliments contenant plus d'eau semblent plus froids que les aliments riches en graisses, car cette dernière, couvrant la muqueuse orale, prévient l'évaporation et, donc, le refroidissement (l'évaporation de composés volatils, tel l'éthanol, amènerait un refroidissement encore supérieur). La détection de la température en bouche serait un mécanisme utile pour la détection des graisses nécessaires à l'alimentation, et ce mécanisme serait un avantage adaptatif.

On n'aura jamais de démonstration de cette hypothèse, mais on pourra en tout cas tenir compte de l'effet thermique des graisses en cuisine, pour les plats que l'on veut alléger. On sait que les molécules des produits pimentés et poivrés ont les mêmes récepteurs que le chaud. Ces molécules pourraient-elles compenser, par leur action sur ces récepteurs, le refroidissement réel, dû à l'évaporation de l'eau, d'un aliment sans graisse ?

# Flaveur indigne

**On découvre les subtilités de l'olfaction, mais les mots manquent pour décrire les perceptions gustatives. L'utilisation du mot flaveur est une faute… de goût.**

La gastronomie est aussi l'art de parler du goût des mets. Hélas, les mots nous manquent, et l'usage de l'anglais obscurcit le vocabulaire français. Goût, saveur, arôme, flaveur même… Que veut-on désigner? Des chercheurs du Centre INRA de Jouy-en-Josas donnent des clés pour comprendre l'olfaction ; leurs avancées, et la neurophysiologie, montrent que le mot « flaveur » n'a pas sa place en français.

## Poivrés, sucrés salés, vos sacrés baumes

Le goût est une sensation… gustative ; cette sensation que l'on a quand on mange a plusieurs composantes. Approchons un aliment de la bouche. D'abord, nos yeux nous montrent sa forme et sa couleur : les sensations visuelles font partie intégrante du goût. La preuve la plus récente est cette expérience effectuée à l'Institut d'œnologie de Bordeaux (voir *Biais œnologiques*, page 30), où des dégustateurs décrivent le goût d'un vin blanc coloré en rouge avec des mots de vins rouges… parce que la vision du rouge leur a donné, en bouche, le goût du vin rouge (évidemment, les colorants ajoutés ne changeaient pas le goût du vin testé en aveugle).

Les sensations tactiles interviennent aussi, mais notre culture et l'usage général de couverts, nous ont fait oublier que le toucher, autrement qu'en bouche, est une composante du goût. Si nos doigts révèlent de petits cristaux sur une pâte de fruits faite de betterave et de sucre, le tout saupoudré de sucre cristal, nous sentirons la pâte de fruit à la myrtille ou au cassis.

Puis nous approchons l'aliment de la bouche, et nous percevons son odeur, qui résulte de l'évaporation de molécules de l'aliment. Plus ces molécules odorantes sont volatiles, plus elles stimulent en grand nombre les cellules réceptrices du nez.

Là, les physiologistes viennent de progresser en découvrant des intermédiaires entre les molécules odorantes et les cellules réceptrices du nez : les OBP (pour *odorant-binding proteins*, soit « protéines de liaison des molécules odorantes »). D'abord identifiées chez les insectes, ces protéines qui se lient aux molécules odorantes avant de les conduire aux récepteurs olfactifs ont été retrouvées dans l'organisme humain : en 2000, E. Lacazette et son équipe ont trouvé des gènes humains analogues aux gènes des insectes qui codent ces protéines. Au Centre INRA de Jouy-en-Josas, Loïc Briand et ses collègues ont montré que ces protéines sont exprimées dans le mucus nasal. *In vitro*, des protéines de synthèse, copiées sur une OBP humaine, se lient à de nombreuses molécules odorantes, de la classe des aldéhydes et des acides gras.

Revenons aux questions de vocabulaire : le nez, qui capte les molécules odorantes, perçoit les odeurs. On nomme parfois « arômes » ces molécules odorantes, en les confondant avec la sensation qu'elles engendrent : c'est évidemment une erreur, car une sensation n'est pas une molécule. En outre,

on nomme abusivement « arômes » des préparations composées de molécules odorantes judicieusement mélangées.

Parmi les molécules qui s'évaporent ainsi, certaines ne stimulent pas les récepteurs olfactifs, mais des récepteurs reliés à un faisceau nerveux à trois branches, nommé nerf trijumeau. C'est le cas de la molécule de menthol, présente dans la menthe, qui a une odeur et qui communique aussi la sensation de frais : à la sensation olfactive s'ajoute une sensation dite « trigéminale ».

L'aliment vient maintenant en bouche. Certaines de ses molécules passent dans la salive, puis se lient à des molécules, nommées récepteurs, à la surface de cellules spéciales de la cavité buccale. Ces molécules dites « sapides » donnent la sensation de « saveur ». Les cellules qui portent les récepteurs des molécules sapides sont regroupées en papilles (les petites zones rondes que l'on aperçoit sur la langue). Puisque l'on nomme gustation la perception du goût, comment nommer la perception des saveurs ? Je propose « sapiction ».

Dans la bouche, l'aliment chauffé et décomposé par la mastication laisse également évaporer des molécules odorantes, qui remontent vers le nez par l'arrière de la bouche, par les « fosses rétronasales ». C'est encore l'olfaction qui est en jeu. Dans la bouche, d'autres molécules de l'aliment ont différentes actions : des molécules stimulent les capteurs de température, d'autres « piquent ». Des cellules ou capteurs détectent les caractéristiques mécaniques : ainsi percevons-nous le dur, le mou, le gras, le mouillé, etc.

## Un orchestre de sensations

L'ensemble de toutes les sensations, sapictives (saveurs), olfactives (odeurs), mécaniques, thermiques, trigéminales... est le goût. Perçu par la physiologie, il est interprété par le cerveau, qui lui associe des qualités d'après les expériences individuelles ou sociales (souvenirs, émotions, apprentissages, etc.).

Et la flaveur, dans tout cela ? Certains spécialistes de science des aliments ont proposé que le terme regroupe la saveur et l'odeur, mais pourquoi associer ces deux sensations alors que la flaveur n'est pas accessible ? On ne peut mesurer la somme de la saveur et de l'odeur (au mieux, on le voit avec les résultats récents sur les OBP, on commence à apprécier expérimentalement les odeurs), et jamais on ne la perçoit, puisque notre goût mêle indissociablement saveurs, odeurs et autres sensations. La flaveur, ni perceptible ni mesurable, est analogue aux anges que la théologie comptait sur la tête d'une épingle.

En fait, l'introduction en français du mot « flaveur » semble résulter d'une confusion avec l'anglais. Selon le *British Standards Institute* (nous traduisons) : « Flaveur : la combinaison de la saveur et de l'odeur... influencée par les sensations de douleur, de chaleur et de froid, et par les sensations tactiles. » Ainsi le mot « flaveur » serait une traduction fautive du mot anglais *flavor*, lequel est la traduction du mot français « goût ».

Écrasons l'infâme flaveur, nous avons notre goût.

# Le rafraîchissant

**Les physiologistes ont identifié un récepteur des molécules qui, comme le menthol, donnent une impression de fraîcheur. Ils pourront synthétiser des molécules « plus fraîches ».**

Pourquoi les boissons à la menthe sont-elles rafraîchissantes, même quand elles sont chaudes ? À l'Université de San Francisco, D. McKemy, W. Neuhausser et D. Julius ont identifié l'ADN qui code un récepteur neuronal où agit la molécule de menthol, molécule qui, c'est bien connu, est responsable de l'effet rafraîchissant de la menthe. Puis, ces neurophysiologistes ont identifié les récepteurs activés par le froid et retrouvé celui du menthol ! Importante découverte.

Comment détectons-nous le chaud ou le froid ? Quand un stimulus, chaud ou froid, par exemple un liquide que nous buvons, dépasse un seuil de température, des neurones spécialisés de la bouche émettent des signaux chimiques qui véhiculent l'information sensorielle à la moelle épinière et au cerveau. Ainsi le système « somato-sensoriel » détecte les changements de température de la peau ou des muqueuses.

Il y a quelques années, des neurophysiologistes avaient identifié le « récepteur vanilloïde VR1 » présent à la surface des neurones de la langue et activé par la capsaïcine, la principale molécule du piment, dont nous connaissons le goût « brûlant ». Ils ont ensuite montré que les récepteurs VR1 assurent la perception de la chaleur par les neurones à seuil de température modéré ; puis ils ont observé qu'un autre récepteur, VRL-1, analogue au premier, mais qui ne réagit pas à la capsaïcine, est activé par les températures supérieures à 52 °C. Ces deux récepteurs appartiennent à une famille de canaux dits « ioniques », par où transitent les ions, donc l'information, de l'extérieur à l'intérieur des neurones. D. McKemy et ses collègues se sont alors demandés si d'autres molécules du même type participaient à la perception, non plus du chaud, mais du froid, avec l'idée que les récepteurs du froid étaient peut-être les mêmes que ceux de la fraîcheur mentholée.

Cette interrogation est plus qu'académique : depuis des décennies, les chimistes modifient la molécule de menthol pour obtenir des molécules donnant la sensation de frais sans goût de menthe. Hélas, ces nouvelles molécules sont difficiles à synthétiser et les résultats sensoriels pas toujours probants. Aussi était-il tentant d'étudier les récepteurs de l'action rafraîchissante du menthol pour mieux déterminer la nature des molécules qui excitent ce récepteur.

On sait depuis un demi-siècle, que le menthol et des molécules analogues agissent sur le nerf trijumeau, dont les trois branches irriguent le nez, la bouche et la face. Parallèlement, les physiologistes ont identifié, chez les mammifères, la petite population de fibres du trijumeau qui déchargent entre 15 et 30 °C et transmettent la sensation de froid au cerveau, puis celles des fibres qui réagissent à des températures inférieures à 15 °C. D'autres travaux ont montré que le froid (vers 20 °C) provoque des afflux d'ions calcium dans ces neurones sensibles au froid : les physiologistes ont alors soupçonné que la sensation de froid résultait de l'ouverture des canaux calcium. D. McKemy et ses collègues ont repris la méthode utilisée pour la découverte du récepteur vanilloïde, et testé les réactions des neurones isolés de rats au froid, au menthol et à ses analogues.

Ayant isolé des neurones qui réagissaient au menthol et au froid, les neurophysiologistes ont récupéré les segments d'ADN utilisés par ces neurones pour fabriquer les diverses protéines (les récepteurs sont des protéines) de ces neurones, puis ont intégré ces segments d'ADN à des cellules dérivées de reins d'embryons. Enfin, ils ont examiné, au microscope à fluorescence, les modifications des courants d'ions calcium dans ces cellules après exposition au menthol. Nos chercheurs ont ainsi identifié la séquence génétique qui code le récepteur du menthol : une protéine nommée CMR1 qui appartient à la même famille que le récepteur vanilloïde du piquant et du chaud.

La question était à nouveau posée : les molécules rafraîchissantes et le froid agissent-ils sur les mêmes récepteurs ? Pour élucider ce point, les spécialistes ont d'abord utilisé les cellules génétiquement modifiées pour tester les réactions à l'eucalyptol, à la menthone, au camphre, au cyclohexanol et à l'iciline (environ 200 fois plus puissante que le menthol), et ils ont observé que le menthol, l'eucalyptol et l'iciline agissent sur ce type de récepteurs. Puis ils ont testé les réactions au froid d'ovocytes de grenouille qui avaient été transfectés par le récepteur : quand ils réduisaient la température de 35 °C à environ 5 °C, un courant important d'ions calcium était libéré. Autrement dit, un même récepteur assure la réaction au frais mentholé et au froid.

Enfin D. McKemy et ses collègues ont montré que le récepteur est un canal ionique excitateur exprimé dans de petits neurones des ganglions trigéminaux. Leur hypothèse de départ était confirmée, d'autant que l'on avait observé que les chiens tremblent de froid quand on leur injecte du menthol dans le sang ; la découverte d'une forte ressemblance chimique entre le récepteur CMR1 et une protéine identifiée dans l'épithélium de la prostate explique ce phénomène.

L'article de la revue *Nature* (vol. 416, 7 mars 2002) où les trois neurophysiologistes présentent leurs travaux porte, sous les noms des auteurs, une mention inhabituelle : « Les trois auteurs ont contribué également au travail publié. » La communauté scientifique a compris par cette mention que les auteurs sont conscients de l'importance de leur découverte et qu'ils prévoient les conséquences de leur travail. Connaissant la structure moléculaire du récepteur, les chimistes pourront synthétiser des molécules capables de se lier plus spécifiquement au récepteur que le menthol ou, même que l'iciline ; marché considérable, les amateurs de chewing-gum à la menthe le savent.

# Goûts et récepteurs

**La découverte d'un récepteur gustatif des acides aminés met sur la piste de composés qui amplifient les goûts.**

La biologie moléculaire identifie les récepteurs des molécules aromatiques et sapides: à question moléculaire, réponse moléculaire. Aussi, mois après mois, les découvertes en physiologie de la gustation se succèdent: il avait été découvert que les récepteurs du froid étaient aussi ceux du menthol; C. Zuker, de l'Institut Howard Hughes, et N. Ryba, de l'Institut odontologique de Bethesda, ont ensuite identifié une protéine qui constitue un récepteur gustatif des acides aminés.

La gourmandise est fondée sur les perceptions agréables parce que vitales pour la survie: l'organisme reconnaît les molécules dont il a besoin et les molécules toxiques, qu'il doit éviter. Le sucre, qui apporte de l'énergie, est perçu comme agréable; les alcaloïdes, souvent toxiques, sont d'un amer déplaisant (les amers ne sont appréciés que par culture: pensons à la bière, que les enfants n'aiment pas).

À côté des saveurs reconnues par le langage comme le sucré, le salé ou l'acide, il en existe bien d'autres. Ainsi, la saveur *umami* est reconnue depuis une dizaine d'années comme la saveur des bouillons d'algues kombu, saveur due à l'alanine et à l'acide glutamique. Les autres acides aminés que ces deux-là, molécules constitutives des protéines, sont aussi réputés avoir des saveurs, mais leurs descriptions varient selon les individus.

Il n'est pas facile de déterminer la saveur des aliments, car on ne peut la séparer de l'odeur, de l'aspect, de la texture, du piquant, du froid... Pour « approcher » la saveur des acides aminés, on peut mettre sur la langue un fromage affiné et peu salé à la température de la pièce tandis qu'une petite pompe souffle un courant d'air dans le nez (pour éviter l'odeur).

C. Zuker et N. Ryba avaient identifié les protéines constitutives des récepteurs de diverses molécules sucrées et amères dans des cellules gustatives. Ils ont ensuite publié dans la revue *Nature* leurs études du récepteur nommé T1R1+3, qui, chez les mammifères, est activé par les acides aminés. Formé de deux récepteurs gustatifs (T1R1 et T1R3) déjà connus, le complexe T1R1+3 détecte les acides aminés L, ceux dont nous avons besoin pour vivre, mais pas les acides aminés D, symétriques des premiers dans un miroir et inutilisés par l'organisme.

Avant leur travail, on avait identifié les récepteurs de type T1R et de type T2R: les cellules gustatives munies des récepteurs de type T2R détectent des molécules amères; celles qui ont les protéines T1R2 et T1R3 détectent des molécules sucrées.

## Acides aminés révélés

Les physiologistes ont d'abord étudié les récepteurs de la famille T1R qui reconnaissent des acides aminés tels que le monoglutamate, l'acide aminobutyrique gamma (ou GABA) et l'arginine. Les récepteurs de la famille T1R sont de plusieurs types et forment des récepteurs gustatifs variés: par

exemple, nous avons vu que T1R2 et T1R3 sont parfois exprimés ensemble (ils forment alors un récepteur du sucré), de même que T1R1 et T1R3 ; seul T1R3 a été observé isolément dans des cellules gustatives.

Par insertion de gènes, les physiologistes ont fait exprimer, par des cellules de rein embryonnaire, les divers récepteurs dans ces diverses combinaisons, en commençant par des cellules qui exprimaient simultanément T1R2 et T1R3. La réaction des récepteurs était détectée par des mouvements d'ions calcium (mis en évidence par des marqueurs fluorescents), entre l'intérieur et l'extérieur des cellules. Aucun acide aminé L n'a activé ces cellules génétiquement modifiées, tandis que plusieurs acides aminés D (qui ont une saveur dite sucrée par les humains, également appréciée par les souris) déclenchaient une activité notable des cellules. Puis les chercheurs ont testé des cellules exprimant soit des récepteurs T1R1, soit des récepteurs T1R3 : elles ne réagissaient pas non plus aux acides aminés L. En revanche, l'expression simultanée des deux récepteurs T1R1 et T1R3 provoquait une réaction intense aux acides aminés L, alors que les acides aminés D ne provoquaient pas de réaction.

Ayant ainsi observé une détection des acides aminés, les physiologistes ont poursuivi l'exploration en testant d'autres molécules qui engendrent une sensation analogue à l'*umami*, tel l'inosine monophosphate (IMP) : chez le rat, cette molécule provoque une activation gustative détectée par des enregistrements électriques des nerfs gustatifs. Dans les expériences avec des cellules rénales possédant les récepteurs T1R1+3, la réaction aux acides aminés L était considérablement augmentée par l'IMP, qui est donc un véritable « exhausteur de saveur » (seul, l'IMP ne provoque pas de réaction). Commercialisée, cette molécule aurait du succès chez les gourmands !

Le récepteur T1R1+3 est-il un récepteur de l'*umami* ? Ses réactions à de nombreux acides aminés, ainsi qu'au monoglutamate de sodium, semblent l'indiquer, mais est-il un récepteur principal ou accessoire ? La découverte laisse bien d'autres questions ouvertes. Par exemple, ce récepteur réagit à la plupart des acides aminés L, alors que tous les acides aminés n'ont pas la même saveur : certains sont appréciés des souris comme des êtres humains, et d'autres sont neutres ; certains sont perçus amers par des dégustateurs humains, et refusés par les animaux. Pis encore, seuls quelques acides aminés ont une saveur analogue à l'*umami*.

À l'aide des cellules qui expriment le récepteur, on pourra étudier des molécules variées, afin de comprendre quels aliments donnent la saveur de type *umami* ; les tests sensoriels ont révélé que cette saveur est apportée par le fromage, la viande, le lait, les tomates, les asperges, certains fruits de mer, mais on pourra maintenant découvrir de nouvelles molécules qui remplaceront les « exhausteurs de goût » que sont le glutamate ou les inositides, aujourd'hui largement (excessivement ?) utilisés par l'industrie alimentaire.

# Les dents de l'amer

**Les dents sont indispensables à une bonne perception du goût sucré, salé, amer des aliments : une seule perception vous manque...**

Le bon sens n'est pas une garantie de sain raisonnement : sous prétexte que l'on sent deux fois quand on mange (une fois quand l'aliment arrive devant le nez, avant de passer en bouche ; une fois quand les molécules odorantes libérées par la mastication remontent vers le nez par les voies rétronasales), il avait été jugé que l'olfaction était le sens principal du goût. Par ailleurs, la perte d'olfaction fréquente causée par les rhumes avait fait penser que l'olfaction était tout, et la perception de la saveur presque rien.

Les découvertes neurophysiologiques des dernières décennies abattent ce dogme. Pourquoi n'a-t-on pas observé que la non-perception de la saveur, tout comme la non-perception de l'odeur, élimine complètement la sensation du goût ? L'expérience qui consiste à se brûler la bouche avec un aliment trop chaud est hélas fréquente... et démonstrative. Alors ? La neurophysiologie sensorielle montre que le goût est une sensation synthétique composée d'informations de plusieurs ordres différents : visuelles, olfactives, « sapictives » (la perception des saveurs), trigéminales (le piquant, le frais), mécaniques... Et la perte d'une seule des informations de la sensation synthétique est désastreuse pour la reconnaissance des goûts (ce qui est le « but » du système gustatif, lequel, forgé par l'évolution, vise à assurer la reconnaissance de la nourriture).

« Un seul être vous manque et tout est dépeuplé », gémissait Lamartine : il faut toutes les perceptions pour arriver à obtenir le goût d'un aliment. Cette idée vaut-elle aussi pour les informations de consistance ? Annick Faurion, à l'INRA de Jouy-en-Josas et ses collègues des Universités de Paris et de Tours, ont cherché si les traitements dentaires avaient une influence sur la gustation.

Les traitements dentaires, notamment les extractions de dents, sont fréquents. Or dans une étude prospective, D. M. Shafer et ses collègues de la Faculté odontologique de Phoenix ont analysé des déficits gustatifs chez la moitié des patients à qui l'on avait extrait les troisièmes molaires ; ces déficits résultaient d'endommagements des fibres nerveuses gustatives. De même, il a été observé que la chirurgie dentaire peut amoindrir les sensations gustatives pendant plus de six mois, en raison de la compression, de l'étirement ou des œdèmes du nerf lingual.

Afin de savoir si les traitements dentaires causent une perte de la sensibilité gustative, A. Faurion et ses collègues ont retenu 387 sujets sains, non fumeurs, ne prenant aucun traitement médical, et leur bouche a été radiographiée si nécessaire. Les sujets ont été classés en groupes en fonction du nombre d'extractions dentaires ou de traitements du canal dentaire, et leur sensibilité aux saveurs a été déterminée par une technique d'électrogustométrie. Celle-ci consiste à stimuler de petites zones de la

langue à l'aide d'une petite électrode. Sous l'effet du courant, les ions contenus dans la salive sont mis en contact avec les récepteurs des papilles, et le seuil de sensibilité est le plus petit courant qui donne lieu à une perception de saveur. Neuf zones de la langue ont été testées : la pointe, les bords antérieurs, où la densité de papilles dites fongiformes est maximale, la partie dorsale, à gauche et à droite, où la densité de ces papilles est minimale, les bords de la langue, et la partie postérieure, des deux côtés. Pour chaque détermination de seuil, l'électrode était placée sur la langue et, après un temps d'adaptation à la stimulation mécanique parasite, un courant était appliqué pendant une seconde. Les sujets devaient seulement dire s'ils percevaient une sensation (les sujets ne savaient pas si un courant était ou non appliqué).

Les résultats sont sans appel : plus le nombre des dents désafférentées (ou dévitalisées) est grand, plus le seuil de sensibilité gustative est élevé (donc la sensibilité est amoindrie). Ce n'est pas une question d'âge : quel que soit l'âge, les sujets ayant plus de sept dents désafférentées ont des seuils de perception supérieurs à ceux des autres sujets. Inversement, selon les groupes d'âge, aucune différence statistique n'a été observée pour les sujets ayant peu de dents désafférentées. De surcroît, on observe une association entre la localisation des déficits de perception de la saveur et la position des dents extraites ou traitées : les seuils les plus élevés pour les sites antérieurs, sans relation avec une blessure antérieure, ont montré que la convergence neurophysiologique entre les voies somatosensorielles dentaires et les voies sapictives pouvait être responsable des diminutions de la sensibilité sapictive.

Ainsi, la perte de goût des personnes âgées ne semble pas résulter d'une disparition des papilles, comme on le croit souvent, mais plutôt d'une perte des dents et d'une mauvaise perception de la consistance des aliments. Pour rester des gens de goût, conservons nos dents.

# Biais œnologique

**Les gourmets décrivent les bouquets des vins en évoquant des objets qui sont de la même couleur, rouge ou blanche, que les vins testés.**

Ecoutons les spécialistes qui décrivent le bouquet du vin en termes de fruits, fleurs, plantes, matières minérales... Depuis des millénaires qu'ils chantent le vin, ils n'ont pas trouvé de qualificatifs qui lui soient intrinsèques : tous les adjectifs font référence à des produits qui n'ont rien à voir avec le raisin ! Insistons : pour d'autres perceptions, nous avons des mots spécifiques – sucré, amer, salé, acide, pour le goût, –, grave, aigu, sourd et autres pour les sons –, rêche, lisse, mou, dur pour le toucher... Pour les arômes du vin, rien.

Qui ne connaît l'histoire du grand œnologue qui ne distingue pas un vin blanc d'un vin rouge les yeux bandés ? La mésaventure est non seulement juste, mais nous avons vu pire : aux 20 meilleurs barmen du monde, nous avons distribué neuf verres de vin blanc, neuf verres de vin rouge et deux verres d'éthanol dans l'eau : dans l'obscurité, ni le flairage ni la dégustation non comparative n'ont permis d'identifier ce qui était servi ! Gil Morrot, de la station INRA de Montpellier, et Frédéric Brochet, de la Faculté d'œnologie de Bordeaux, ont cherché les mécanismes de tels phénomènes.

G. Morrot et Frédéric Brochet ont, pour leur propos, d'abord analysé les commentaires de dégustateurs. Ils se sont fondés sur cinq corpus : 3 000 commentaires de dégustations donnés par l'œnologue Pierre Dupont dans *La lettre de Gault & Millau*, entre 1991 et 1996 ; 3 000 des 32 000 commentaires de dégustation (sélectionnés au hasard) publiés par le *Guide Hachette du vin* ; 7 000 commentaires en anglais livrés par Robert Parker dans la revue *The Wine Advocate* ; 2 000 commentaires d'un vigneron français.

À partir du texte complet de ces commentaires, le programme *Alceste* effectuait une analyse statistique des occurrences des mots, réduisait les mots à leur racine, éliminait les mots rares, divisait les textes en unités plus courtes (de la longueur d'une phrase), puis répartissait les unités ainsi formées en groupes lexicaux.

Un résultat est clair : les descripteurs olfactifs relatifs aux vins rouges sont généralement associés à des objets rouges ou sombres (chocolat, musc, havane, cannelle, griotte...), tandis que les descripteurs olfactifs des vins blancs sont principalement ceux d'objets jaunes ou clairs (mirabelle, mangue, miel, citron...).

Les chercheurs ont ensuite corroboré l'analyse lexicale par une étude portant sur deux vins de Bordeaux (A.O.C. Bordeaux, 1996) : un vin blanc fait à partir des cépages Sémillon et Sauvignon, et un vin rouge obtenu à partir des cépages Cabernet

Sauvignon et Merlot. Une partie du vin blanc a été colorée en rouge avec des anthocyanines de raisin, et la neutralité gustative de la coloration a d'abord été testée par 50 personnes : les anthocyanines n'avaient pas d'odeur perceptible, et le vin blanc coloré était indiscernable du vin blanc non coloré.

Puis les trois vins (blanc, blanc coloré en rouge, rouge) ont été testés par 54 étudiants de la Faculté d'œnologie de Bordeaux, dans des conditions classiques de dégustation. Les étudiants n'étaient pas avertis de l'expérience. Au cours d'une première session, seuls le vin rouge et le vin blanc étaient présentés, et les étudiants décrivaient les vins par les termes de leur choix. Puis, au cours d'une seconde session, chaque étudiant recevait le vin blanc et le vin blanc coloré en rouge, qu'il devait décrire par les termes qu'il avait choisis au cours de la session précédente ; ces termes lui étaient donnés par ordre alphabétique, et, pour chacun des deux vins soumis, il devait indiquer le pourcentage de pertinence de chaque descripteur.

## Le goût du blanc ?

Les résultats des deux sessions ont confirmé les analyses lexicales : les étudiants ont d'abord choisi des descripteurs correspondant à des objets rouges ou sombres pour le vin rouge, et des descripteurs correspondant à des objets clairs ou jaunes pour le vin blanc. Puis, lors de la seconde session, les étudiants ont généralement utilisé les descripteurs olfactifs qu'ils avaient choisis pour le vin rouge afin de décrire le vin blanc coloré en rouge, et ils éliminaient pour ce vin les descripteurs associés au vin blanc ; pour décrire le vin blanc, ils conservaient les descripteurs qu'ils avaient choisis pour le vin blanc.

Le fait est patent : la couleur d'un vin détermine son appréciation olfactive, et les gourmets sont sous le coup d'une illusion sensorielle : ils sentent le vin, font un acte conscient de détermination sensorielle (olfactive), et énoncent une perception en utilisant des descripteurs, mais la perception est déterminée par la couleur et non par la perception olfactive proprement dite. L'analyse de cette illusion conduit à d'autres examens, qui révèlent d'autres cas où la couleur influence la description verbale de la perception olfactive. Par exemple, les vins vieux, tuilés, ont généralement des arômes d'orange ou de marron, de fruits secs, et les vins rosés sont souvent décrits par des fruits roses (groseille, fraise...).

Pourquoi cette illusion ? Des analyses de l'activité cérébrale au moyen de la tomographie par émission de positons ont montré, en 1999, que les centres de traitements cognitifs de l'odeur activent l'aire *V*1 du cortex visuel primaire (une aire qui intervient dans le traitement des images visuelles, dans l'identification des objets et la construction d'images mentales). Les informations visuelles, comme la couleur, induiraient la formation d'une image où cette couleur est présente. En outre, une zone du cortex visuel primaire, le cuneus gauche, est spécifiquement activée lors des tâches de verbalisation d'odeur.

Ces analyses expliquent peut-être pourquoi les êtres humains n'ont pas forgé de termes spécifiques pour décrire les odeurs : si l'identification de l'odeur résulte d'un traitement visuel, il est logique que l'odeur soit identifiée par des identificateurs visuels.

Les parfums, les couleurs et les sons se répondent, écrivait Baudelaire dans *Les fleurs du mal*. En évoquant les correspondances entre les parfums et les couleurs, le poète était sur la voie d'une vérité neurologique...

# Une illusion gustative

**Le contraste simultané des impressions est transposable des couleurs aux goûts.**

Célèbre pour ses travaux sur la constitution des graisses, le chimiste français Michel Eugène Chevreul (1786-1889) est connu du monde de l'art pour deux raisons : d'une part, le photographe Nadar lui consacra un entretien photographié à l'occasion de son centenaire ; d'autre part, il contribua au développement de l'école de peinture néo-impressionniste par sa découverte de sa « loi du contraste simultané des couleurs », mise en pratique par Seurat, Pissarro, Delaunay, Signac...

En cuisine, ce jeu de contrastes est également possible. Pour vous persuader de l'effet de contraste, regardez l'illustration de la page ci-contre : la bande verticale bleue du centre semble plus foncée que les deux bandes verticales qui la flanquent, alors qu'il s'agit de la même couleur.

## Épineux pigments

Revenons à notre héros. Chevreul, nommé directeur technique de la Manufacture des Gobelins, doit résoudre des problèmes de teinture des étoffes : il identifie tout d'abord que certaines couleurs « passent » en raison d'une instabilité des pigments à la lumière (le remède consiste à utiliser des pigments plus photostables). Toutefois, pour d'autres couleurs, des difficultés demeurent. Au terme d'une longue recherche, Chevreul découvre qu'une couleur influence notre perception des couleurs voisines : une tache bleue sur un fond blanc semble bordée de jaune, et deux couleurs comme le rouge et le vert semblent « vibrer » quand elles sont rapprochées.

La contamination du voisinage d'une couleur est physiologique : le jaune n'apparaît pas sur du papier blanc parce qu'il a été jauni par de la peinture qui aurait diffusé, mais (ce qu'ignorait Chevreul) parce que les photorécepteurs de la rétine sont influencés par les photorécepteurs voisins.

Nous voyons en effet grâce à trois types de pigments, qui captent des longueurs d'onde différentes. Le blanc résulte de l'activation des pigments des trois types. Si des photorécepteurs spécifiques du bleu reçoivent des longueurs d'onde associées au bleu, ils sont activés, émettant vers le cerveau le signal que le bleu a été détecté, et ils inhibent des neurones voisins du même type, dans la zone qui détectait le blanc : les récepteurs qui captent

le bleu, dans la zone qui reçoit le blanc, sont éteints, et seuls les deux autres types de neurones signalent leur activité au cerveau. De ce fait, le cerveau reçoit l'information selon laquelle la couleur complémentaire du bleu (le blanc moins le bleu) a été détectée. C'est le « contraste simultané des couleurs ». D'où l'intérêt des couleurs complémentaires en peinture et dans les arts de la couleur.

## Un contraste simultané des goûts ?

Un tel phénomène existe-t-il, en cuisine ? Sans doute pas, puisque le goût n'est pas le résultat d'une détection par trois types de récepteurs, mais, au contraire, une synthèse de plusieurs sens : vue, toucher, odorat, perception des saveurs... Une version affaiblie de la loi du contraste simultané des couleurs existerait-elle pour le goût ? Revenons à notre illusion de juxtaposition d'une couleur, un bleu d'intensité intermédiaire avec du bleu foncé et du blanc (considéré comme du bleu très peu intense). Le bleu intermédiaire semble plus pâle quand il est proche du bleu saturé, et plus foncé quand il est proche du blanc.

Pour une transposition culinaire, il suffit de réunir, similairement, trois masses alimentaires identiques (fades, par exemple) où l'on dissout des molécules odorantes (du 1-octen-3-ol, à odeur de sous-bois) ou sapides (du sel, du sucre...) selon trois concentrations différentes : dans la première masse, la concentration en molécule odorante ou sapide sera nulle ; dans la seconde masse, la concentration sera perceptible, mais faible ; dans la troisième masse, la concentration sera élevée. Lors de sa dégustation, la masse de concentration intermédiaire semblera plus concentrée si elle est goûtée après la masse fade ou insipide, mais moins concentrée si elle est goûtée après la masse très concentrée.

En pratique, on pourra faire le test avec du fromage blanc et du sucre, mais pourquoi s'arrêter en si bon chemin ? Chevreul collaborait bien avec des artistes ! Invité à mettre cet effet en pratique, le cuisinier Pierre Gagnaire a proposé un dessert à base d'une crème pâtissière, faite de lait, de jaunes d'œufs battus, de sucre et de farine. Il chauffe ce mélange jusqu'à l'ébullition, divise en trois masses auxquelles il ajoute de l'extrait d'amande amère en trois concentrations différentes. Il laisse refroidir les trois masses, leur ajoute de la crème fouettée et répartit les trois crèmes dans une assiette, en parsemant d'éclats d'amandes fraîches. Bonne appréciation de l'illusion gustative.

CHAPITRE 2

# Santé et alimentation

Santé et alimentation... Le terrain est miné ! Par la pandémie d'obésité qui sévit aujourd'hui dans certains pays. Par une certaine industrie qui « invente » des effets bénéfiques sur la santé. Par la peur de manger des produits inconnus. Par de nouveaux comportements humains, de nouvelles organisations du commerce et de l'industrie, de nouvelles capacités de dosage des molécules...

On doit manger dix fruits et légumes par jour ? Le lendemain, le quota est tombé à cinq. Et le surlendemain, le légume ou le fruit sont devenus moins importants que l'exercice. Le pain ? Il est proscrit, mais le voici revenu sur les tables. Le vin ? Il faisait la France alcoolique, mais voici qu'il est bon pour le cœur, consommé en quantités modérées. On voit même la pintade ou la charcuterie prônées pour de prétendues vertus nutritionnelles !

À relire les *Secrets de la casserole*, publié en 1992, je persiste dans ma conclusion. Priorité doit être donnée aux travaux de science, tels ceux de nombre de mes collègues de l'INRA, qui établissent des faits. Les études épidémiologiques rétrospectives ? Elles me font penser à l'histoire du Martien qui pose sa soucoupe volante au-dessus de la gare d'Orsay : le Martien voit un bonhomme venir sur le quai, puis un autre, puis un troisième, puis une foule... et soudain un train arrive ; y monte la foule. Le phénomène se reproduit, et encore, et encore. Conclusion imbécile du Martien : les attroupements font venir les trains !

Non, l'observation d'une certaine longévité ou d'une incidence réduite de maladies cardiovasculaires (vaste catégorie, voire « fourre-tout médiatique ») et de la consommation accrue d'un ingrédient (la fraise, le poulet, la tomate, que sais-je ?) n'est pas suffisante pour établir que l'ingrédient est « bon pour la santé ». D'ailleurs, si la solution se trouve dans la diversification de notre alimentation, on comprend qu'aucun aliment n'est « bon pour la santé ».

Soyons patients, encourageons les centres de recherche en nutrition humaine qui effectuent des études épidémiologiques prospectives. Demandons à la science des études sur des décennies. Pendant ce temps, évitons les erreurs alimentaires les plus grossières, sans oublier que des faits sont déjà établis.

Par exemple, la satiété résulte pour beaucoup de la stimulation des récepteurs du goût : pour rassasier nos convives et éviter qu'ils se « bourrent », faisons une cuisine qui a du goût... et laissons le temps nécessaire au rassasiement (une vingtaine de petites minutes). En pratique, servons une soupe (ou autre), avec des morceaux, mais construisons la soupe pour qu'elle stimule tous les récepteurs et qu'elle ne passe pas d'un coup. La « sagesse des nations », reprise par Brillat-Savarin, disait déjà : « Tu manges trop vite ! »

# Des légumes pour les os

**La consommation de fruits et de légumes limite la perte de calcium résultant d'un régime trop riche en protéines.**

Pourquoi les personnes âgées se brisent-elles fréquemment le col du fémur? Pourquoi tant de femmes souffrent-elles d'ostéoporose? Parce qu'elles sont déminéralisées et souffrent d'un déficit osseux dû à un manque de calcium. Comment lutter contre la déminéralisation et la fragilisation des os? Par un régime alimentaire? Le calcium étant le constituant principal des os, les nutritionnistes ont étudié les apports directs de calcium par les produits laitiers, mais, jusqu'à présent, aucun rôle majeur n'a été attribué aux fruits et légumes, probablement en raison de leurs teneurs plus modestes et d'une biodisponibilité moindre du calcium.

À la Station INRA de Theix, M.-N. Horcajada, V. Coxam et C. Rémésy ont montré l'effet des fruits et des légumes sur l'acidité du sang: leur effet alcalinisant s'ajoute à celui des fibres (cellulose, par exemple), utiles préventivement contre divers cancers digestifs. Comme nous le verrons, la consommation de fruits et légumes déplace les équilibres chimiques dans l'organisme dans un sens favorable à une moindre perte de calcium.

Les protéines de la viande ont un effet défavorable. Même si la consommation de viande diminue régulièrement depuis un siècle (la désaffection due à la crise de la vache folle n'a été qu'un creux temporaire dans une tendance régulière), l'alimentation occidentale reste trop riche en protéines animales. Or ces dernières acidifient le sang, par leurs acides aminés soufrés, la cystéine et la méthionine: dans le sang, une partie de ces acides aminés est dégradée, la réaction augmentant la concentration en ions sulfate acidifiants.

Les os du squelette limitent cette acidification en libérant des ions calcium (et, en moindre proportion, des ions magnésium), mais, ce faisant, ils se fragilisent: d'où le danger des protéines animales. De combien de calcium l'organisme dispose-t-il, grâce à l'ensemble du squelette? La marge de manœuvre de l'organisme est faible: si l'on double la consommation de protéines (la quantité recommandée est d'un gramme par jour et par kilogramme de masse corporelle), la perte de calcium est de 1,75 milligramme par jour, soit 365 grammes en 20 ans; or le squelette contient en moyenne environ 800 grammes de calcium (la quantité de calcium est moindre chez les femmes que chez les hommes).

Heureusement l'alimentation apporte du calcium qui reconstitue les réserves. Un palliatif d'un autre ordre consisterait à limiter l'acidification, c'est-à-dire à enrichir l'alimentation en éléments basiques : or les fruits et légumes contiennent des sels organiques de potassium (le citrate ou le malate) et ces sels organiques sont transformés en bicarbonates, lesquels alcalinisent le sang. Cette possibilité est-elle utilisable ?

## Plus de potassium, moins de sodium

En 1999, V. Coxam et ses collègues ont étudié les effets du potassium, sous forme de citrates ou de chlorures, et ils ont comparé ces effets à ceux du sodium, sous les mêmes deux formes. Associé aux protéines, le sodium a un effet néfaste sur l'os, car il stimule l'élimination urinaire de calcium, et sa présence est souvent associée à de fortes concentrations en ions chlorure, qui acidifient le sang et accroissent la déminéralisation.

Ces effets ont été étudiés chez des rates alimentées pendant 21 jours selon trois régimes différents : dans un premier régime, le rapport potassium/sodium était élevé (14), comme dans les fruits et légumes, dans un second régime, le rapport potassium/sodium était faible (2), comme dans les viandes, et dans le troisième, le potassium et le sodium étaient sous la forme d'ions citrate ou d'ions chlorure. Chaque jour, les physiologistes ont mesuré la concentration en calcium (perdu) dans les urines.

Les résultats sont probants : la perte de calcium est maximale pour le régime à forte concentration en sodium, sous la forme de chlorures, et il est minimal pour le potassium abondant sous la forme de citrate. Les effets du dernier régime sur l'acidité des urines ont conforté les idées théoriques.

Une seconde série d'expériences a testé les effets à long terme du citrate de potassium, d'une part, chez des rates ovariectomisées, en état de carence oestrogénique comme chez la femme ménopausée et, d'autre part, chez des animaux qui ont un métabolisme hormonal et osseux normal. Cette seconde étude, qui a duré 90 jours, confirme les premiers résultats : les mesures de densité minérale indiquent que le potassium, sous la forme de citrate, réduit la perte de calcium des os ; l'effet est identique chez les deux groupes d'animaux.

Au total, la nature de l'anion, citrate ou chlorure, est plus importante sur la perte de calcium, que celle du cation, potassium ou sodium : le citrate est meilleur et le potassium plus favorable. Les végétaux ne contenant pas, ou très peu de sodium, leurs effets sur la concentration en calcium dans les urines dépendent donc de leur richesse en acides organiques, citrates et malates de potassium. Peu caloriques, les fruits et les légumes apportent le potassium qui rétablit le rapport potassium/sodium sans imposer de restriction sodique trop sévère.

La question se pose : puisque nos os sont mieux préservés si nous consommons davantage de fruits et de légumes, comment devrons-nous les cuire ? À côté de la classique cuisson à l'anglaise, qui leur fait perdre du goût, ou de la cuisson à la vapeur, qui se limite à un attendrissage (souvent nécessaire), trouvera-t-on des méthodes de cuisson qui donneront des goûts puissants aux légumes ? Un régime n'est accepté que si les aliments préconisés sont goûteux. La balle est dans le camp des cuisiniers.

# Huile d'olive et santé

**On a identifié dans l'huile d'olive des composés qui préviennent les méfaits des agents oxydants.**

Si nous ne sommes pas ce que nous mangeons (*Man ist was man isst*, dit l'adage allemand), le fait est là : certaines alimentations sont plus saines que d'autres. À forte dose, les aliments fumés consommés par les populations du Nord de l'Europe favorisent l'apparition de cancers du système digestif, alors que l'alimentation du bassin méditerranéen, riche en huile d'olive, en fruits, en légumes et en poissons, est associée à une moindre incidence de ces cancers, ainsi que des maladies cardio-vasculaires.

Ces résultats résultent de l'étude épidémiologique la plus importante jamais conduite sur les relations entre l'alimentation et le cancer : depuis 1992, des chercheurs de dix pays d'Europe collaborent à EPIC *(European Prospective Investigation Into Cancer and Nutrition)*, une étude portant sur un demi-million de personnes suivies ! Des prises de sang régulières sont stockées dans l'azote liquide pour des analyses ultérieures, les mensurations des sujets sont enregistrées, ainsi que leur état de santé... À Lyon, en juin 2000, les premiers résultats ont été dégagés : une consommation quotidienne de 500 grammes de fruits et de légumes correspond à une diminution de moitié de l'incidence des cancers des voies aérodigestives, et à une réduction notable de l'incidence des cancers du côlon ou du rectum ; le tabac et l'alcool ont des effets désastreux sur les cancers des voies aérodigestives supérieures. Ainsi le risque d'un de ces cancers pour quelqu'un qui fume un paquet par jour est huit fois supérieur au risque pour un non-fumeur ; une consommation d'éthanol supérieure à 60 grammes par jour, soit environ 75 centilitres de vin, multiplie par neuf le risque d'un de ces cancers.

L'extraordinaire banque de sang qui a été constituée sert aussi à des études plus ciblées. Ainsi, à Heidelberg, Helmut Bartsch et ses collègues du Centre allemand de recherches cancérologiques DKFZ ont cherché à corréler la consommation de plusieurs huiles et des modifications de l'ADN dans les globules blancs : ils supposaient, d'une part, que l'auto-oxydation des lipides (le « rancissement ») provoquait la formation de composés réactifs nuisant aux cellules, et, d'autre part, que ces composés réactifs se liaient à l'ADN, provoquant des mutations qui engendraient *in fine* des cancers.

Les chercheurs allemands ont récupéré le sang de femmes qui participaient à l'étude EPIC et qui continuaient de se nourrir comme à l'habitude : les femmes qui avaient le moins d'ADN modifiés étaient celles qui consommaient le plus de fruits et de légumes. Ainsi le dosage des ADN modifiés est-il un bon test *in vivo* de l'efficacité des antioxydants, tels ceux identifiés dans l'huile d'olive.

Pourquoi cet intérêt pour l'huile d'olive ? Parce que les études épidémiologiques font état d'une incidence réduite des cancers et des maladies coronariennes chez les populations méditerranéennes. Depuis la découverte de cette corrélation, de nombreux facteurs ont été invoqués pour expliquer les bienfaits du « régime méditerranéen » : l'abondance des tannins dans les vins locaux, la diversité de l'alimentation, la faible consommation de produits fumés, la forte consommation de fibres, la consommation notable de fruits et de légumes, la consommation d'huile d'olive... L'huile d'olive est un « bon » produit alimentaire à plus d'un titre : comme les autres huiles, ses molécules majoritaires, les triglycérides, sont composées d'une molécule de glycérol à laquelle se lient trois acides gras. Toutefois, plus de 70 pour cent de ses acides gras sont l'acide oléique, mono-insaturé (avec une seule double liaison entre des atomes de carbone du squelette de l'acide gras), lequel est moins sensible à l'auto-oxydation que les acides gras polyinsaturés, tels que l'acide linoléique de l'huile de tournesol. Or l'oxydation des acides gras polyinsaturés engendre des molécules réactives qui se lient – on le sait par des études *in vitro* – à l'ADN de cellules humaines et qui risquent de favoriser des cancers.

D'autres propriétés de l'huile d'olive expliqueraient son intérêt nutritionnel. À Heidelberg, R. Owen a analysé diverses huiles d'olive à la recherche des composés antioxydants, et a montré que ces propriétés protectrices proviennent aussi de la présence de plusieurs phénols (des molécules contenant toutes un cycle à six atomes de carbone, lié à au moins un groupe hydroxyle –OH).

Lors de la croissance des olives, entre octobre et janvier, les principaux composés phénoliques sont liés à des sucres, mais, lors de la maturation des fruits, des enzymes séparent le sucre des phénols, qui sont libérés. De nombreux phénols ont été identifiés dans l'huile d'olive dont l'hydroxytyrosol et deux « lignanes ». Tous ont de fortes propriétés antioxydantes, et tous sont plus abondants dans les huiles extra-vierges que dans les huile raffinées.

L'étude de l'auto-oxydation des huiles montre que l'hydroxytyrosol est le composé le plus actif : le peroxyde d'hydrogène (présent dans l'« eau oxygénée »), qui réduit considérablement la viabilité des cellules épithéliales (cultivées) de l'intestin, est complètement inhibé par l'ajout d'hydroxytyrosol. R. Owen et ses collègues ont montré que 18 huiles d'olive extra-vierges et 5 huiles d'olive raffinées avaient ce même effet protecteur, alors que 7 huiles de tournesol ne l'avaient pas. Les composés phénoliques de l'huile d'olive sont des antioxydants puissants.

Les lignanes ont également été étudiés pour leurs effets protecteurs contre les cancers. Ils semblent agir différemment : leur structure, analogue à celle de l'estradiol, en ferait des anti-estrogènes (qui bloquent la prolifération des cellules du sein). L'huile d'olive contient aussi de fortes concentrations de squalène, composé qui est transféré à la peau (le sébum en contient 12 pour cent) et qui agirait contre les cancers de la peau.

La gastronomie incitait à utiliser l'huile d'olive. La biologie confirme que bon goût et hygiène vont de pair.

# La digestibilité

**Les études avec des protéines marquées montrent qu'il est préférable de consommer des protéines « lentes », mieux assimilées par l'organisme.**

On prétend l'ail indigeste quand on n'a pas retiré le germe, la mayonnaise « lourde », certains vins capiteux. Existerait-il une graduation, mesurable expérimentalement, du digeste à l'indigeste complet ?

Dans les dernières décennies, les physiologistes ont appris à mesurer des vitesses de vidange gastrique, montrant, par exemple, des différences dans la vitesse d'absorption des graisses, quand elles sont à l'état pur ou quand elles sont dispersées dans de l'eau sous la forme d'émulsion (la mayonnaise !). Les physiologistes identifient aussi les aliments qui traversent l'estomac sans être digérés et qui, fermentant dans l'intestin, engendrent, entre autres, les flatulences. Toutefois de telles mesures restent globales : comme elles ne sont pas à l'échelle des échanges des transformations et des dégradations des molécules, elles ne révèlent pas les mécanismes responsables des effets observés.

## Les protéines traquées

Au Centre de recherche en nutrition humaine de Clermont-Ferrand, Bernard Beaufrère et ses collègues ont étudié la digestibilité de diverses protéines du lait grâce à des protéines dont un des acides aminés constitutifs, la leucine, avait été marqué par un isotope du carbone ; ces protéines étaient absorbées par des volontaires et l'on suivait leur trace dans l'organisme au cours de la digestion.

Les physiologistes voulaient savoir comment l'organisme utilise les protéines : comment elles sont dissociées en leurs acides aminés constitutifs lors de la digestion, comment ces acides aminés passent dans le sang, puis comment ils sont dégradés ou bien assemblés en protéines humaines. On savait que les principaux régulateurs de ce métabolisme sont les hormones, telle l'insuline... et aussi les acides aminés eux-mêmes. D'où la question : comment le métabolisme des acides aminés dépend-il des aliments consommés ?

En 1997, les chercheurs clermontois ont exploré cette question à l'aide de fractions de lait contenant de la leucine marquée au carbone 13. Ils ont d'abord découvert que les protéines du petit lait sont plus rapidement digérées que les protéines de la classe des caséines, qui forment dans le lait des agrégats nommés micelles : cette digestion plus lente résulte sans doute du fait que la caséine coagule dans le milieu acide de l'estomac et que ses protéines sont moins facilement dégradables par les sucs gastriques.

Apparaissait ainsi un parallèle insoupçonné entre les protéines et les sucres. Pour ces derniers, on sait depuis quelques décennies que le sucre de table et les sucres « rapides » augmentent fortement la concentration en glucose dans le sang, tandis que des sucres complexes tels ceux de l'amidon (dont les molécules sont des enchaînements de milliers de molécules de glucose liées chimiquement) accroissent lentement et régulièrement cette concentration. De même, pour les protéines : les expériences ont fait apparaître une distinction entre les protéines « lentes », efficaces du point de vue du métabolisme (elles conduisent à une meilleure synthèse des protéines humaines quand elles sont absorbées régulièrement), et des protéines « rapides ».

Soucieux de vérifier les premiers résultats, B. Beaufrère et ses collègues ont comparé la vitesse d'assimilation intestinale des acides aminés et la vitesse de synthèse des protéines après l'ingestion de divers repas qui avaient des compositions identiques en acides aminés, mais une digestibilité différente. Ainsi, un plat de caséine (marquée) a été comparé à un mélange d'acides aminés libres conçu de sorte qu'il y ait autant de chaque sorte d'acides aminés dans la caséine et dans le mélange d'acides aminés libres.

D'autre part, les physiologistes ont comparé une absorption unique de protéines du petit lait avec plusieurs absorptions successives de la même protéine, la quantité totale de protéines absorbées étant encore égale dans les deux cas. Cette expérience avait pour but d'étudier la différence de digestibilité pour une prise unique de nourriture et pour des repas fractionnés.

## Festinons lente

Les études ont porté sur des volontaires sains : 22 jeunes gens se préparaient à l'expérience en consommant tous, pendant quatre jours, les mêmes repas, et en faisant tous le même exercice. Par des prises de sang et des analyses de l'air expiré, les médecins déterminaient les quantités de leucine marquée passées dans le sang, et l'efficacité de l'assimilation des protéines. Les physiologistes ont ainsi découvert que la concentration en insuline dans le sang augmentait modérément une heure après l'absorption du mélange d'acides aminés, mais pas après la consommation de caséine.

De même, la concentration en insuline augmentait après un gros repas de protéines du petit lait, mais pas après les repas fractionnés. Les concentrations en leucine augmentaient après tous les repas, mais les mélanges d'acides aminés ou les prises brusques de protéines du petit lait induisaient une réaction supérieure aux deux autres repas : l'idée de protéines lentes ou rapides était confirmée.

Que conclure ? Que des protéines lentement digérées favorisent leur bonne utilisation métabolique, celle qui conduit à une bonne synthèse des protéines par l'organisme du consommateur. Le gastronome retient en outre que le fromage est meilleur pour l'organisme que le petit lait, et sans doute que l'œuf, la viande ou le poisson cuits sont également meilleurs que l'œuf, la viande ou le poisson crus.

Cuisons, donc, et cuisons bien.

# Pigments salutaires du vin

**Les molécules qui protégeraient contre les maladies cardio-vasculaires sont celles qui donnent sa couleur pérenne au vin rouge.**

À l'Université de Strasbourg, Raymond Brouillard étudie les molécules qui colorent les vins rouges, pigments qui seraient impliqués dans le « paradoxe français ». Ce dernier, découvert il y a une dizaine d'années, correspond à une relativement faible mortalité par maladies cardio-vasculaires dans les populations qui consomment pourtant des graisses... mais aussi (modérément) du vin rouge. R. Brouillard propose un nouveau paradoxe : ces mêmes pigments associés à une protection cardio-vasculaire devraient disparaître au cours du vieillissement. Or le vin rouge reste rouge pendant des années, des lustres, des décennies !

## Les couleurs des végétaux

Les pigments qui engendrent la couleur rouge des vins rouges sont les anthocyanines : ces molécules sont présentes dans de nombreux végétaux colorés : orchidées, pétunias, chou rouge, volubilis des jardins... Les anthocyanines de la vigne européenne *Vitis vinifera* sont essentiellement constituées d'un polyphénol lié à un sucre. Le pinot noir, cépage dont on fait les plus grands vins, est la variété de *Vitis vinifera* qui a les anthocyanines les plus simples.

*Vitis vinifera*

5

sucre

Hydrogène
Carbone
Oxygène

Ces polyphénols ont un squelette composé de trois cycles carbonés, dont deux sont aromatiques (avec une alternance de simples et de doubles liaisons entre atomes de carbone) et dont le troisième comporte un atome d'oxygène en remplacement d'un atome de carbone ; à ce squelette sont liés un ou plusieurs groupes hydroxyles (–OH). Le sucre est du glucose, lié par un atome d'oxygène au cycle qui comporte l'atome d'oxygène. Ces anthocyanines de *Vitis vinifera* se distinguent des anthocyanines des autres espèces du genre *Vitis* par le groupe hydroxyle qu'elles ont en position 5, sur le premier cycle des anthocyanines ; en outre, elles ne portent qu'un seul sucre.

## Un second paradoxe français

Le second paradoxe français tient à la pérennité de la couleur rouge du vin : dans un milieu aqueux, tel que le vin, les études ont montré que les anthocyanines ne sont pas stables longtemps, parce que l'eau réagit avec elles.

Pour certaines anthocyanines complexes, la réactivité est faible (et la stabilité grande), parce que les molécules sont protégées : des « copigmentations intra- ou intermoléculaires », qui modifient simultanément la couleur due aux anthocyanines, résultent respectivement du repliement d'une anthocyanine sur elle-même ou de la juxtaposition de deux anthocyanines ;

les cycles aromatiques s'empilent, ce qui empêche la réaction avec les molécules d'eau de leur environnement. À ces mécanismes s'ajoute un phénomène découvert dans les fleurs de volubilis des jardins : la couleur des anthocyanines est stabilisée et modifiée, quand l'anthocyanine est liée à des molécules d'acide cinnamique.

Les anthocyanines simples de *Vitis vinifera* ne semblaient pas être ainsi protégées, car si des copigmentations intermoléculaires ont parfois lieu, ces copigmentations sont moins protectrices que les copigmentations intramoléculaires et aucune stabilisation par l'acide cinnamique n'a lieu. Si les vins rouges restent rouges, malgré leurs anthocyanines réactives, c'est parce que leur rouge n'est plus celui du raisin : les anthocyanines se combinent avec des molécules du vin pour engendrer de nouveaux pigments, plus stables.

Dans les cinq dernières années, les chimistes ont étudié l'existence de ces combinaisons. Dès 1997, R. Brouillard et ses collègues ont montré que le premier cycle des anthocyanines, celui qui porte le groupe hydroxyle important pour la réactivité, est un élément clé de la formation des nouveaux pigments du vin rouge. Puis, en 1999, les chimistes strasbourgeois ont utilisé des anthocyanines de synthèse pour identifier l'importance de ce groupe hydroxyle stratégique lors de la formation d'un autre type de pigments à quatre cycles hexagonaux, qui apparaît lorsque les vins rouges vieillissent. Ensuite, on a découvert que l'acide pyruvique se liait aux anthocyanines, et que l'acétaldéhyde se liait à la catéchine et à la malvidine 3-glucoside.

Tout récemment, M. Rossetto et ses collègues de l'Université de Pise ont montré que les anthocyanines du pinot noir ont des propriétés moléculaires procurant, semble-t-il, un effet bénéfique pour la santé : les propriétés protectrices ont été testées *in vitro* et pas *in vivo*, et le grand débat est de savoir si l'on trouvera la cause de ces corrélations. L'effet bénéfique sur la santé semble dû aux pigments spécifiquement formés dans le vin rouge plutôt qu'aux pigments du raisin ou aux tanins initiaux. L'élucidation des effets bénéfiques du vin rouge passe par une bonne compréhension de la chimie du vieillissement des vins.

# Les bienfaits de la gelée royale

**Les acides gras contenus dans ce produit mythique ont des propriétés bénéfiques insoupçonnées. Pour une fois, la publicité avait raison !**

Nutrition et santé : le thème est à la mode, alors que la pandémie d'obésité s'étend. La sédentarité est clairement un facteur essentiel, mais la promotion de l'exercice physique doit aussi s'enrichir de recherches scientifiques. Ainsi réexplore-t-on des produits réputés de longue date à la recherche de propriétés utiles. À l'Université d'Athènes, Eleni Melliou et Ioanna Chinou ont étudié la composition et les propriétés de la gelée royale. Ce n'est pas une panacée, mais beaucoup de ses activités biologiques, dues à des acides gras, ont été confirmées.

Acides gras ? Les revues en sont pleines : acides gras saturés, acides gras mono-insaturés, acides gras poly-insaturés… De quoi s'agit-il ? De molécules composées d'une « queue » hydrocarbonée formée par l'enchaînement d'atomes de carbone, liés à des atomes d'hydrogène, et d'une « tête » qui est un groupe acide carboxylique –COOH. Ces divers composés ont des rôles biologiques variés, jusqu'à servir de phéromones, molécules qui assurent une communication chimique dans le règne animal, déclenchant des comportements d'accouplement, par exemple.

En revanche, les acides gras ne forment pas les huiles et graisses, comme on pourrait le croire : ces matières alimentaires sont composées de « triglycérides », trois acides gras ayant réagi avec du glycérol. Dans cet assemblage, les acides gras et le glycérol ont perdu leur individualité, tout comme les molécules de dioxygène $O_2$ et de dihydrogène $H_2$ perdent leur individualité quand elles forment des molécules d'eau $H_2O$.

La gelée royale étudiée par les chimistes grecs, elle, ne contient pas de triglycérides, mais des acides gras isolés. Matériau crémeux, jaune, acide, avec un léger goût et une subtile odeur piquante, elle est sécrétée par les glandes mandibulaires et hypopharyngées des abeilles. Elle nourrit temporairement (pendant moins de trois jours) les ouvrières, mais sert de nourriture exclusive aux reines, à l'état larvaire ou adulte.

## Des acides gras originaux

Depuis quelques décennies, chimistes et pharmaciens ont progressivement montré que la gelée royale a des activités antitumorales, antimicrobiennes, vasodilatatrices, antihypertensives, désinfectantes, antihypercholestérolémiantes, anti-inflammatoires. Sa caractéristique chimique la plus intéressante est sa composition en acides gras : des modifications de la structure la plus simple, faite seulement d'une queue hydrocarbonée, conduisent à des activités variées. Les acides gras libres de la gelée royale ont seulement 8 à 12 atomes de carbone. Le principal est l'acide trans-10-hydroxydec-2-énoïque, synthétisé *de novo* dans les glandes mandibulaires des abeilles et jamais retrouvé dans un autre produit naturel. En outre, environ la moitié

de la matière sèche de la gelée royale est faite de protéines, telles les « principales protéines de gelée royale » et la royalisine, qui ont des propriétés immunorégulatrices et antibactériennes.

Malgré de nombreuses études, la composition chimique de la gelée royale restait mal connue. Les chimistes grecs ont séparé ses divers constituants et analysé la nature chimique des molécules séparées. Plusieurs dizaines de composés originaux ont été ainsi identifiés, dont quatre acides gras, et nombre de molécules odorantes, telle l'acétovanillone.

## Contre les micro-organismes

Le pouvoir antimicrobien de ces molécules a été étudié sur des cultures de micro-organismes, bactéries ou champignons. Cette fois, ce n'est plus l'intérêt de la gelée royale complète qui a été testé, mais l'effet de molécules isolées, plus utiles pour l'industrie pharmaceutique. Notamment, les tests ont montré les intéressantes propriétés antimicrobiennes de certains acides gras. Par exemple, l'acide sébacique est très antifongique ; l'acide 3-hydroxydodécanedioïque est un puissant antibactérien. Contre les staphylocoques dorés, ce même acide est très efficace.

L'intérêt alimentaire ? L'industrie est généralement intéressée que l'on découvre de nouvelles molécules dans des aliments, car elle peut alors faire valoir que certains de ses composés sont d'origine « naturelle » ou « identique au naturel ». L'intérêt culinaire ? Il est peu probable que la gelée royale devienne un produit de consommation courante, mais, si son goût plaît, pourquoi ne pas employer dans nos préparations – maintenant qu'ils sont connus – les divers composés qui en font l'intérêt ?

La proposition a été faite en 2005 (voir *Est-il temps ? À vous de le dire !*, page 140) : la tendance culinaire qui utilise ainsi des composés un à un se développe sous le nom de « cuisine note à note ». Elle impose de bien connaître les molécules utilisées, ce qui n'est pas impossible aujourd'hui, l'exemple de la mythique gelée royale le montre – et nous apporte d'heureuses surprises.

# Gelées de carême

**Par crainte du prion, les consommateurs délaissent les gélatines de mammifères. Ils pourraient utiliser les gelées de poissons... d'eaux chaudes !**

Bien que la gélatine ne fasse pas partie des matériaux déclarés à risque par les agences de sécurité alimentaire, bien que la gélatine résulte d'opérations d'extraction qui suppriment les risques (traitement par des bases ou des acides), bien que les producteurs de gélatine aient montré que leurs gélatines n'étaient pas infectieuses, le public reste méfiant : il redoute la gélatine de mammifères et cherche d'autres molécules gélifiantes pour ses gels, gelées, aspics ou bavarois. À l'École supérieure de physique et de chimie industrielles de Paris (ESPCI), Madeleine Djabourov, Christine Joly-Duhamel et Dominique Hellio ont étudié la gélification des gélatines de poisson et exploré les relations entre la température de gélification de ces gélatines et la température de l'eau où vivent les poissons.

Les aspics sont sans doute des plats aussi anciens que la cuisson de viande dans l'eau : chauffé à plus de 55 °C, le tissu collagénique qui est présent autour des fibres musculaires, dans les cartilages et dans les peaux, se dissocie ; initialement sous la forme de triples hélices, les molécules de collagène qui constituent ce tissu se séparent et se dispersent dans l'eau, prenant alors le nom de gélatine. Puis, quand les solutions contenant les molécules de gélatine refroidissent, les molécules se réassocient par les extrémités, formant des segments de triples hélices ; par assemblage de brins, grâce à des liaisons faibles, nommées liaisons hydrogène, entre un atome d'hydrogène d'une molécule de gélatine et un atome d'oxygène d'une autre molécule, un réseau à trois dimensions s'établit, piégeant les molécules d'eau et les composés dissous dans les mailles du réseau. La structure formée, où l'eau est piégée dans un solide, est ce que la physico-chimie dénomme un gel.

En pratique, la préparation est simple : le bouillon où cuit longtemps une viande, gélifie quand il refroidit. D'où la question qui doit être posée en temps de peur alimentaire : si le cuisinier craint la gélatine, pourquoi boit-il du bouillon qui donne la gélatine ? L'analyse montre que c'est la gélatine inconnue, préparée par l'industrie, qui inquiète, malgré les études qui ont montré l'absence d'infectivité des gélatines issues de bovins contaminés.

## Le poisson, vous dis-je !

Que la crainte soit justifiée ou non, les faits sont là : le public délaisse les gelées de mammifères, mais il serait prêt à utiliser des gélatines de poisson. D'où la question : quels gels ces gélatines forment-elles ? Gélifient-elles de la même façon que les gélatines de mammifère ?

Éliminons une interrogation : la gelée de poisson a la même absence de goût que la gelée de viande si l'extraction est bien faite ! Avec ses collègues, M. Djabourov a exploré ces questions dans le cadre d'un programme européen de recherche sur la valorisation des coproduits de la pêche. On s'attendait à ce que les gélatines de poissons diffèrent de celles des mammifères, car les poissons ne sont pas homéothermes : vivant dans des environnements plus variés, ils devaient présenter plus de biodiversité. En 1956, par exemple, le chimiste suédois K. Gustavson avait observé que la température de dénaturation des collagènes (température de dissociation du collagène et formation de molécules isolées qui en résulte) augmentait avec la température des eaux où vivent les poissons.

Puis, en 1971, les chimistes américains W. Harrington et N. Rao avaient exploré la relation entre la température de gélification des collagènes et les variations de la composition en acides aminés de ces protéines : essentiellement la proline et l'hydroxyproline (une molécule de collagène est composée d'un millier d'acides aminés, environ). Ils ont découvert que la quantité d'hydroxyproline dans la séquence diffère selon les collagènes.

Au total, toutes ces études montraient qu'il faudrait sans doute comparer les gélatines extraites de poissons d'eaux froides, d'eaux chaudes, d'eaux douces et d'eaux salées. Les peaux de ces divers poissons ont donc été lavées, puis le collagène a été extrait à l'acide acétique ; après purification par centrifugation, le collagène a été précipité au sel.

Grâce aux études effectuées depuis plusieurs décennies sur les gélatines de bovins, l'équipe de l'ESPCI savait que les gels de gélatine atteignent très lentement l'équilibre : les molécules de gélatine mettent des temps variables à s'associer en réseaux, selon l'écart entre la température ambiante et la température de gélification, mais toujours très longs (plus de quatre heures). Ces évolutions sont suivies par polarimétrie : la rotation de la lumière polarisée augmente avec la formation de segments de triples hélices. Les physico-chimistes ont déterminé les températures de gélification de gélatines de divers poissons : alors que les gélatines de bœuf et de porc gélifient à la température de 36 °C, celle de thon gélifie à seulement 29 °C, celle de sole à 28 °C, et celle de morue à 15 °C. Ainsi était confirmé le pressentiment que la température de gélification dépendrait de la température du milieu où vivent les poissons : la morue notamment est bien un poisson d'eaux froides ! D'autre part, les physico-chimistes ont montré que la formation de triples hélices commence à des températures différentes selon les collagènes, avec un ordre qui correspond à celui des températures de fusion.

Ces résultats, qui intéressent l'industrie, ont évidemment des conséquences culinaires importantes : un gel qui fond à température inférieure est, ne l'oublions pas, une gelée qui tient moins bien au réchauffement en cuisine. De sorte que les cuisiniers ainsi renseignés seront avisés d'utiliser plutôt des gélatines extraites de poissons d'eaux chaudes ou de continuer à utiliser de bonnes vieilles gélatines de bovins ou de porc.

# Qualité des viandes

**On détermine la maturation des viandes et leur tendreté en mesurant leurs propriétés électriques.**

Comment être certain que la viande que l'on se prépare à cuire sera bonne ? Les cuisiniers ont leurs méthodes. Par exemple, ils examinent le « persillé » : quand ils voient dans le morceau des infiltrations grasses, ils supposent que la viande aura du goût, en raison des molécules odorantes présentes dans les graisses et que cette viande aura une bonne texture, grâce au « fondant » apporté par le gras. Pour voir si la viande est tendre, ils savent aussi la pincer entre les doigts : si la texture approche celle du beurre, la viande a des chances d'être tendre. D'autres font glisser le pouce dessus, afin de sentir le « grain » (la rugosité serait de mauvais aloi).

Méthodes artisanales, subjectives, que l'on aimerait maîtriser. Au Centre INRA de Clermont-Ferrand-Theix, Jacques Lepetit, Sylvie Clerjon et Jean-Louis Damez ont montré que les propriétés électriques des viandes fournissent des informations objectives sur l'état de maturation des viandes, élément essentiel de la résistance mécanique des viandes, dénommée tendreté.

Au cœur du travail, la notion d'impédance électrique : pour la viande comme pour n'importe quel matériau, l'impédance électrique décrit la façon dont un objet, placé entre deux électrodes, permet le passage d'un courant électrique alternatif. Cette impédance se compose de deux parties : d'une part, la résistance électrique, qui mesure la dissipation de l'énergie sous la forme de chaleur ; d'autre part, la capacité, qui mesure la quantité d'énergie électrique stockée. Dans la viande, cette composante capacitive est notable, parce que la viande se comporte comme un condensateur : les liquides intra et extracellulaires, qui contiennent des ions, sont conducteurs, mais les mouvements de ces charges électriques sont gênés par les membranes biologiques isolantes.

Les chercheurs de l'INRA ont tiré profit des variations de l'impédance selon la direction d'application du courant (parallèle ou perpendiculaire aux fibres musculaires). On conçoit la cause de la différence : la viande est un matériau anisotrope, parce qu'elle est constituée de fibres musculaires, qui sont des cellules allongées contenant un réseau de protéines, de l'eau et tout ce qui fait vivre ces cellules. Ces fibres musculaires sont limitées par leur membrane et gainées par un tissu fibreux contenant du collagène (lequel donne la gélatine, après une longue cuisson dans l'eau). Elles sont réunies en faisceaux par d'autres tissus faits de collagène et des graisses sont incluses dans la structure.

## Tendreté et électricité

Comment évolue la tendreté de la viande de bœuf? L'état de santé de l'animal est important, mais la maturation après l'abattage est cruciale : c'est un processus lent et, surtout, de durée très variable selon les animaux. En France, la viande bovine est généralement commercialisée après une à deux semaines de stockage, alors que l'optimum de maturation n'est pas toujours atteint : le consommateur paye cher une viande qui n'est pas toujours tendre. Comment le satisfaire tout en minimisant les frais de stockage ?

Des méthodes de laboratoire, physiques ou biochimiques, permettent déjà de connaître cet état de maturation, mais ces méthodes ne sont pas exploitables en site industriel. Les chercheurs ont donc mis au point des méthodes de mesures rapides et non destructives, adaptées aux contraintes industrielles. Ils ont découvert une relation entre les propriétés électriques et mécaniques de la viande en cours de maturation : pendant la maturation, l'impédance électrique d'un muscle diminue proportionnellement à la résistance mécanique. Pourquoi ? Parce que le muscle évolue au cours de la maturation : d'une part, les membranes cellulaires se détériorent progressivement, ce qui réduit leur capacité électrique ; d'autre part, l'espace extracellulaire évolue, ce qui change sa résistance électrique.

Toutefois, la relation découverte entre impédance électrique et résistance mécanique n'est pas exploitable pour le contrôle de l'état de maturation, car le rapport entre impédance électrique et résistance mécanique varie d'un muscle à l'autre. Cul-de-sac technologique ? Pas tout à fait : très récemment, les chercheurs de Theix ont montré, comme nous l'annoncions, que l'anisotropie électrique, c'est-à-dire la différence entre les impédances électriques mesurées parallèlement et perpendiculairement aux fibres musculaires, est directement reliée à la résistance mécanique, indépendamment du muscle et de l'animal. Cette relation résulte d'un même mécanisme biochimique qui dégrade les

membranes et le réseau des protéines dans les fibres musculaires.

Et comme un bonheur ne vient jamais seul, les chercheurs ont fait un nouveau pas avec le passage aux hyperfréquences : lorsque l'on envoie une onde électromagnétique de fréquence comprise entre 300 mégahertz et 20 gigahertz, polarisée linéairement (la direction du champ électrique est fixe), on peut également mesurer l'anisotropie diélectrique de la viande. Comme pour les fréquences comprises entre un et dix kilohertz, l'anisotropie des réactions aux hyperfréquences diminue au cours de la maturation. De surcroît, avec les hyperfréquences, il n'est plus nécessaire de planter des électrodes dans la viande pour enregistrer son impédance (ce qui risque de propager des micro-organismes) : on mesure la maturation de la viande sans contact, à l'aide d'antennes.

Des capteurs hyperfréquences révéleront-ils bientôt la maturation des viandes ? Quand ce sera, les bouchers sauront, mieux qu'au toucher, déterminer la tendreté de leur produit.

CHAPITRE 3

# Quelles sont les notes ?

Le « produit » ! Maurice-Edmond Sailland, alias Curnonsky, journaliste qui se disait « prince élu des gastronomes », a écrit que « les choses sont bonnes quand elles ont le goût de ce qu'elles sont ». Détestable affirmation, qui veut imposer autoritairement une vision personnelle à ce champ collectif qu'est la cuisine ! Non, les choses ne sont pas bonnes quand elles ont le goût de ce qu'elles sont et, pis encore, l'intelligence ne peut pas accepter de déclaration sans une explication de cette dernière.

Il reste que cette idée a fait beaucoup de mal au monde culinaire qui s'est réfugié derrière, soit pour prolonger une idée esthétique ancienne, soit pour justifier sa quête des « produits ». Car il est vrai qu'une tomate qui s'est développée avec assez de lumière et de nutriments a un goût plus puissant que le même légume anémié. Il est vrai que les asperges qui ont séché sur les étals ne valent souvent pas celles que l'on sort de terre. Il est vrai que des champignons de Paris tout juste cueillis sont bien supérieurs à ces objets noirâtres qui ont trop attendu. Il est vrai, enfin, que de la raie insuffisamment fraîche a une insupportable odeur azotée !

Toutefois, que cuisinons-nous vraiment ? C'est cela dont il est question ici, sur des exemples dont on débat vivement ces temps-ci. Quelques exemples seulement, parce que, nous le verrons ensuite, la vraie question de la cuisine, c'est de faire bon usage des produits.

# La guerre de l'échalote

**Les « langues électroniques » distinguent l'échalote de l'oignon et des prétentieuses variétés hybrides, qui ne sont donc pas de vraies échalotes.**

Branle-bas dans l'agriculture : les producteurs d'échalotes, la vraie, dite « de tradition », s'élèvent contre des variétés hybrides d'oignons et d'échalotes qui voudraient se faire passer pour des échalotes. Les faits, d'abord : la famille des Alliacées comprend le genre *Allium*, dont les espèces cultivées sont principalement l'ail, la ciboulette, la ciboule, l'oignon et le poireau. Si le poireau, la ciboule ou l'ail sont facilement reconnaissables, la confusion risque de régner dans l'ensemble formé par l'oignon et l'échalote, d'autant que les sélectionneurs créent des hybrides ! Par échalote, on désigne deux espèces, les échalotes roses et les échalotes grises.

Or les échalotes, appréciées pour la finesse de leur goût, se cultivent plus difficilement que l'oignon : celui-ci se multiplie par graines tandis que l'échalote se multiplie par bulbe. Sur les touffes d'échalotes, il faut prélever des bulbes qui sont ensuite plantés manuellement pour former de nouvelles touffes, dont on extraira à nouveau des bulbes pour la génération suivante. Trois fois plus de travail pour produire des échalotes que pour obtenir des oignons, d'où un coût supérieur. Toutefois, selon les cuisiniers, leur goût justifie ce coût supplémentaire. Pourrait-on obtenir des échalotes par semis ?

## L'échalote, c'est l'échalote

Pourtant, les règlements communautaires n'ont pas reconnu la spécificité de l'échalote, qui doit se multiplier par bulbe... alors même que le marché de l'échalote véritable était déjà menacé par des surtaxes américaines. Les producteurs d'échalotes ont décidé de lutter et, comme souvent dans ces guerres politico-économiques, la science a été sollicitée pour produire des faits. Notamment, Claire Doré, à l'INRA de Versailles, et Gérard Sparfel, à l'INRA de Plougoulm, ont utilisé un système électronique pour savoir si l'échalote avait ou non les caractères spécifiques qu'on lui attribuait.

Cette étude fait suite à une première analyse, génétique, effectuée à l'Université de Gatersleben : les taxonomistes allemands Nikolai Friesen et Manfred Klass ont étudié le génome d'oignons, d'échalotes roses et grises, et d'hybrides. Ils ont d'abord extrait le matériel génétique de cellules de bulbes, puis ils ont effectué des amplifications de fragments isolés à partir des ADN extraits, afin de chercher des différences entre ces fragments.

À l'issue de ce travail d'analyse génétique, cinq groupes sont clairement apparus : *Allium oschaninii, Allium cepa, Allium vavilovii, Allium asarense, Allium pskemense.* Toutes les échalotes grises ont été regroupées avec les échantillons fiablement répertoriés comme des *Allium oschaninii.* L'échalote commune *Allium cepa*, groupe aggregatum, appartient bien à l'espèce *Allium cepa.*

## Des sensations mesurées

L'emploi d'une langue électronique par les spécialistes de l'INRA et leurs collègues A. Legin, A. Rudnitskaya et B. Seleznev, à Saint-Pétersbourg, a confirmé ce résultat. Les langues électroniques, apparentées aux nez électroniques qui ont été mis au point il y a quelques années, sont des dispositifs composés d'un ensemble de détecteurs (des molécules organiques couplées à des puces de silicium) et d'un circuit électronique qui analyse statistiquement les signaux des récepteurs quand ces derniers sont mis au contact d'un mélange de molécules complexes.

Contrairement aux nez électroniques, dont les récepteurs se lient surtout à des molécules hydrophobes (les molécules odorantes sont généralement peu solubles dans l'eau, d'où leur libération dans l'air), les langues électroniques réagissent surtout aux molécules en solution aqueuse, comme le sont de nombreuses molécules soufrées présentes dans les végétaux du genre *Allium* (c'est pour cela qu'il est préférable d'éplucher les oignons sous un filet d'eau, où les molécules soufrées sont dissoutes).

Quand un échantillon est déposé sur le réseau de récepteurs, ces derniers produisent un courant électrique qui est analysé par le système électronique : à chaque échantillon correspond un point dans un espace qui a autant de dimensions (d'intensités de courants) que la langue comporte de récepteurs ; un programme d'analyse statistique examine ensuite comment les points de cet espace sont regroupés.

Les tests qui ont porté sur des oignons, des échalotes et divers hybrides ont montré les différences suivantes : les échantillons d'oignons formaient des groupes bien

distincts, les échalotes roses, un groupe séparé, et les échalotes grises constituaient un troisième groupe, distinct des deux premiers ; aucun oignon n'était regroupé avec les échalotes, et *vice versa*. Non seulement la langue électronique a corroboré l'analyse génétique, mais elle a fait ses preuves pour une utilisation par des services de contrôle : elle est suffisante pour garantir la loyauté et la franchise du commerce de l'échalote.

Restait la question de la reconnaissance par les vrais concernés : les dégustateurs. Lors d'un séminaire INRA de gastronomie moléculaire, un test triangulaire a été organisé, avec la confrontation d'échalotes de tradition et d'hybrides. Dans l'obscurité, les quelque 70 participants recevaient des assiettes numérotées avec deux échantillons identiques et le troisième différent ; ils devaient dire quel couple leur semblait être composé d'échantillons identiques. Pour des produits crus ou cuits, les résultats ont indiqué une légère propension à la bonne reconnaissance. En revanche, à l'œil et au goût simplement sollicités, les produits diffèrent.

# Le parfum des choses

**La qualité des fraises est mesurée par des réseaux de neurones. On détermine le goût des produits selon l'année, le terroir et la variété, ainsi que les effets réels de la congélation.**

Comment apprécier objectivement la qualité d'un fruit ? À l'Institut universitaire de technologie de Périgueux, Michel Montury et ses collègues utilisent les résultats de leurs analyses chimiques pour déterminer objectivement le goût des fraises. Résultat : ils identifient jusqu'au champ où les fraises ont été plantées !

Le goût des produits alimentaires est déterminé par leur odeur et leur saveur (notamment). Pour étudier l'odeur, les chimistes séparent par chromatographie les vapeurs émises par la fraise et identifient les constituants des vapeurs au spectromètre de masse : les molécules odorantes sont ainsi séparées. Reste alors à comparer les pics de divers échantillons selon la variété, les dates et les lieux de cueillette, etc.

## Du cerveau pour l'analyse

Cette comparaison est difficile : à raison de 23 molécules importantes dans l'odeur de fraise et de deux à trois échantillons pour chacune des 17 variétés de fraises soumises, il faut comparer plus de 1 600 pics. Aussi les chimistes se sont-ils alliés à des spécialistes des « réseaux de neurones », ces outils mathématiques qui regroupent des données sans *a priori*. Un bel exemple d'utilisation de réseaux de neurones est la reconnaissance des chiffres des adresses sur les lettres : le réseau regroupe les mêmes chiffres manuscrits, distinguant un 4 d'un 7 mal écrits, selon des critères qui ne sont pas connus des utilisateurs des postes, mais parfaitement efficaces. Le réseau de neurones mesure que la variabilité de l'écriture manuscrite d'un 4 est inférieure à la différence entre un 4 et un 7 manuscrits, et les sépare.

Les réseaux de neurones sont de types variés, mais l'équipe périgourdine a retenu les « cartes auto-organisatrices », inventées par le physicien finlandais Teuvo Kohonen. Utilisés quand on veut classer des données, ces réseaux sont composés d'une couche de neurones d'entrée, qui code les données, et d'une couche de neurones de sortie, qui affiche les résultats. Les entrées sont ici des vecteurs à 23 composantes (les intensités des 23 composés retenus pour décrire l'odeur des fraises). L'algorithme mis en œuvre dans les cartes auto-organisatrices projette ces données vers les neurones de sortie et les vecteurs de données qui partagent les mêmes caractéristiques sont proches sur la carte de sortie.

Lors d'une première étude de fraises récoltées en 1998 et congelées, les cartes produites en sortie étaient séparées en 24 cellules hexagonales. Tous les échantillons d'une même variété se retrouvaient dans la même cellule, et les 17 variétés étaient projetées sur des cellules différentes. Cette discrimination démontrait l'intérêt de la méthode : chaque échantillon inconnu était classé avec les autres de la même variété et il n'y avait pas d'« intrus ».

Ainsi munis d'un outil d'analyse efficace, les chimistes ont exploré la variabilité annuelle des fraises. Cette fois, sept variétés *(Ciflorette, Cigaline, Ciloe, Cireine, Pajaro* et *CF116)* cultivées en 2000, 2001 et 2002, dans les mêmes conditions, ont été échantillonnées et analysées. Une séparation nette est apparue pour les échantillons de 2001 et de 2002, démontrant l'importance de l'année de culture ; la carte de sortie indiquait aussi la séparation des variétés, mais la variabilité interannuelle d'une variété était supérieure à la variabilité intervariétés.

## Des terroirs de fraises ?

Existe-t-il des terroirs de fraises, comme il existe des terroirs pour la vigne ? Six variétés cultivées, une même année, dans trois endroits différents, tous en Aquitaine, sont bien séparées sur la carte de sortie. À plus forte résolution, les trois sites de culture sont séparés dans chaque variété : la variabilité selon les sites de production est plus faible que la variabilité liée aux variétés, de sorte que la variété est ainsi, pour le goût, plus importante que le lieu de production.

Ainsi calibrée, la méthode d'analyse permet l'étude de questions gustatives : la congélation des fraises nuit-elle à leur goût ? Cette fois, 11 variétés ont été comparées, à l'état frais et à l'état congelé. Une carte grossière a suffi pour montrer une distinction claire entre les échantillons congelés, d'un côté, et les échantillons frais, de l'autre. À plus fort grossissement, les 11 variétés sont distinguées dans chaque moitié de la carte globale.

Au total, les sélectionneurs savent aujourd'hui que la variabilité à l'intérieur d'un même échantillon est inférieure à la variabilité selon les échantillons (les échantillons sont bien représentatifs) ; la variabilité selon les échantillons est inférieure à celle des variétés de fraise ; la variabilité des variétés est inférieure à celle des années de culture… La méthode qui rend objective la différence de goût des choses donne le vertige quand on pense à toutes ses applications possibles.

# Les tanins « fondent »

**Lorsque les vins tanniques vieillissent, ils deviennent moins astringents parce que leurs tanins réagissent chimiquement.**

Par pans entiers de découvertes, les innovations instrumentales enrichissent l'escarcelle de la connaissance, et rien ne se fait sans elles : il a fallu un bateau grandement amélioré pour découvrir l'Amérique, une fusée pour explorer la Lune et révéler ses mystères, la spectrométrie pour analyser les molécules de mélanges complexes... Toutefois les mécanismes du vieillissement des vins restaient obscurs en raison de la complexité des molécules qui lui donnent couleur et goût. Depuis quelques années, Michel Moutounet, Véronique Cheynier et leurs collègues de l'Unité mixte INRA « Science pour l'œnologie », à Montpellier, utilisent une spectrométrie améliorée pour analyser les phénomènes liés au vieillissement et à la maturation des vins.

Phénol

Au cœur de leurs préoccupations, les polyphénols, des molécules qui jouent un rôle majeur dans le goût ou la couleur du thé, du café, de l'huile d'olive, des roses et des cosmétiques, ou dans la protection des végétaux contre les insectes : de nombreuses matières végétales contiennent ces molécules qui comportent au moins un groupe « phénol », avec six atomes de carbone liés chacun à un atome d'hydrogène, sauf un atome de carbone qui est lié à un groupe hydroxyle (composé lui-même d'un atome d'oxygène lié à un atome d'hydrogène).

Les tanins, molécules utilisées depuis longtemps pour leur capacité à se lier aux protéines des peaux animales et à renforcer celles-ci, sont des polyphénols appartenant à deux familles : les « tanins hydrolysables », où un sucre est lié à des petits polyphénols, et les « tanins condensés », qui sont de grosses molécules formées par association de plusieurs unités d'un polyphénol nommé flavanol. Ces tanins condensés sont également nommés proanthocyanidines, parce qu'ils libèrent les pigments rouges ou bleus des végétaux, les anthocyanes, quand ils sont chauffés en milieu acide. Dans les vins, les polyphénols contribuent à la couleur et à l'amertume. Les tanins sont astringents : se liant aux protéines lubrifiantes de la salive, ils laissent la bouche sèche.

## Les réactions des tanins

Pourquoi les vins rouges qui vieillissent prennent-ils une teinte tuilée ? Et pourquoi les vins tanniques perdent-ils leur amertume et leur astringence ? On pensait que les polyphénols s'associaient, formant des molécules de plus en plus grosses, qui perdaient leur astringence et leur amertume, mais les études récentes ont éclairé la structure des tanins du raisin et élucidé quelques-unes des réactions des polyphénols dans les vins.

Les chimistes montpelliérains ont identifié la structure des tanins condensés. Dans les vins, de nombreux polyphénols qui n'appartiennent pas à la famille des tanins sont extraits des raisins. Par ailleurs, les tanins hydrolysables proviennent du bois de chêne ou des tanins œnologiques ajoutés. Enfin des tanins condensés sont extraits de la peau des baies, et, un peu, des pépins.

Les polyphénols sont des molécules réactives : leurs réactions sont responsables des changements de couleur et d'astringence des vins rouges. Deux groupes principaux de réactions, les oxydations enzymatiques et les réactions faisant intervenir les anthocyanes et des flavanols (les sous-unités des tanins condensés), ont lieu simultanément lors de la vinification. Les premières, analogues à celles qui font brunir les pommes coupées et laissées à l'air, ont lieu surtout au début ; elles conduisent à des produits de couleur sombre. Les secondes se poursuivent même quand l'activité enzymatique a diminué. Aujourd'hui, ce sont les réactions les mieux connues.

Elles sont importantes pour la couleur, parce que, dans le vin, acide, les anthocyanes sont sous deux formes en équilibre : une forme chargée positivement et rouge, et une forme prédominante incolore, hydratée, c'est-à-dire où la molécule est liée à des molécules d'eau.

De nombreuses réactions faisant intervenir les deux formes avaient été proposées pour expliquer la conversion des tanins en pigments plus stables qui confèrent des teintes tuilées aux vins âgés. Les analyses récentes ont éclairé ces réactions. Comme on le supposait, les sous-unités des tanins condensés réagissent directement avec les anthocyanes. En outre, les deux types de molécules peuvent réagir grâce à l'acétaldéhyde, une petite molécule produite par les levures et par l'oxydation de l'éthanol.

Enfin, les anthocyanes peuvent se transformer en pigments plus stables, en réagissant avec des métabolites des levures. Toutes

LE BEAUJOLAIS DE DORIAN GRAY

ces réactions augmentent la taille des molécules, mais les produits formés sont souvent instables aux $p$H acides des vins. Des coupures spontanées et des réactions des espèces libérées avec des composés phénoliques plus petits réduisent la longueur moyenne de la chaîne des molécules dérivées des tanins. Ainsi les réactions dans le vin sur les tanins conduisent d'abord à des composés plus lourds qui se scindent en composés plus légers, la prévalence de chacun dépendant de la composition initiale en polyphénols et, aussi, de conditions telles que la concentration en oxygène, la concentration en métabolites des levures (par exemple, l'acétaldéhyde), le $p$H...

Au total, l'analyse des composés phénoliques du vin rouge a montré une réduction des polyphénols plutôt qu'un grossissement des tanins : cette réduction amène la perte d'astringence et la disparition de l'amertume. C'est un heureux hasard, et non une intuition, qui a fait dire aux gourmets et aux œnologues que les tanins « fondaient » au cours du vieillissement des vins.

# La force révélée des tanins

**Les tanins du vin sont astringents parce qu'ils se lient à des protéines lubrifiantes de la salive. On tire de la mesure de ces liaisons d'intéressantes associations mets/vins.**

Commençons (toujours!) par une expérience : prenons une gorgée d'un vin astringent (on le dit « tannique ») et faisons-la tourner dans la bouche ; puis recrachons-la dans un verre propre. L'intérêt scientifique étant plus fort que le dégoût, regardons le liquide : nous y voyons des précipités qui résultent de la liaison des tanins avec les protéines de la salive... C'est pourquoi, après la consommation de tels vins, la bouche est « sèche », « resserrée » : les protéines de la salive, ainsi précipitées, ne font plus leur office de lubrification.

L'observation conduit ainsi à boire les vins tanniques avec des mets qui contiennent des protéines, afin que celles-ci, précipitées en priorité, laissent la bouche en bon état de dégustation. Pour nous aider dans ces associations culinaires, H. Rawel, K. Meidtner et J. Kroll, de l'Université de Postdam, ont mesuré la force des liaisons entre les protéines et les « composés phénoliques » (la classe chimique à laquelle appartiennent les tanins).

## Molécules en vogue

Ces composés sont à la mode scientifique : ces dernières années, le *Journal of Food Science* leur a consacré plus d'un tiers de ses articles. À cet engouement, des raisons scientifiques – les chimistes commencent à bien analyser ces composés – et nutritionnelles – ces molécules sont antioxydantes, ce qui est souvent considéré comme « bon pour la santé » ; de surcroît, certaines sont antimutagènes ou anticancérogènes.

Toutefois ces molécules ont parfois des effets antinutritionnels résultant de la précipitation des protéines, qui ne sont alors plus assimilables. Ainsi, en période de disette, les Corses qui étaient réduits à consommer des glands (contenant de l'amidon, nutritif) ajoutaient de l'argile, lequel complexait les redoutables tanins astringents des glands et évitait la précipitation des protéines nécessaires à l'entretien de l'organisme. Pour la même raison, des singes mangent de la terre lorsque, faute de fruits, ils se nourrissent de feuillages qui contiennent des tanins et autres composés phénoliques en plus des nécessaires protéines.

Les chimistes de Postdam ont utilisé des composés phénoliques et des protéines communs dans l'alimentation : la quercétine (présente dans de nombreux fruits, telles les poires) et ses glucosides (la quercétine liée à du glucose, ce qui forme la rutine et l'isoquercétine), les acides gallique, férulique (présents dans les prunes, les céréales, etc., et retrouvés intacts dans le sang après consommation des aliments qui en contiennent) et chlorogénique (dans les pommes et d'autres tissus végétaux), d'une part ; de la gélatine (apportée par la viande), des caséines (des produits laitiers), de l'amylase alpha (de la salive), du lysozyme (dans l'œuf, par exemple), d'autre part ; d'autres protéines (l'albumine sérique bovine) ont été choisies pour leur présence dans le sang, où transitent les composés phénoliques supposés actifs *in vivo*.

Comment les composés phénoliques se lient-ils aux protéines ? S'il est facile d'identifier les éventuelles liaisons chimiques, covalentes, il est plus difficile de détecter les liaisons plus faibles : c'est comme si un pêcheur devait attraper des poissons avec un hameçon dont les poissons peuvent se détacher. Aussi les chimistes allemands ont-ils utilisé des méthodes variées, leurs « poissons » étant, selon les cas, les protéines ou les composés phénoliques. La chromatographie, tout d'abord, sépare les molécules d'un mélange en faisant migrer celui-ci dans un gel : comme la vitesse de migration dépend de la charge électrique et de la taille, on identifie une protéine isolée de la même protéine liée à un composé phénolique. D'autres mesures optiques révèlent les modifications de la structure des protéines (leur repliement est perturbé par l'association à des composés phénoliques) et l'association des composés phénoliques à d'autres molécules.

## Les liaisons des sensations

Au total, la pêche a été bonne. Premièrement, les liaisons entre les protéines et les composés phénoliques sont, soit des liaisons chimiques fortes, covalentes, soit des liaisons dites faibles, non covalentes. Dans le cas des liaisons faibles, les méthodes utilisées donnaient les forces des liaisons pour les divers composés phénoliques-protéines. Par exemple, l'acide férulique se lie peu à la gélatine, mais beaucoup à l'albumine sérique bovine ou humaine, ainsi qu'au lysozyme.

Deuxièmement, les nutritionnistes seront intéressés de savoir que l'albumine du sérum sanguin se lie à beaucoup des composés phénoliques étudiés : c'est donc bien une sorte d'éponge métabolique du sérum. Troisièmement, les modifications du milieu telles qu'il s'en produit lors des transformations culinaires (acidité, température etc.) changent les associations en modifiant les protéines : on commence à savoir en quoi la cuisson modifie l'astringence, l'amertume ou l'âpreté des mélanges qui passent à la casserole.

Voyons-nous pointer l'aube d'une cuisine vraiment « moléculaire », où le cuisinier choisira le goût des aliments en mêlant protéines et composés phénoliques sélectionnés ainsi ?

# Le goût de bouchon

**Une nouvelle méthode d'analyse rapide des bouchons permettra d'en dépister les défauts qui donnent un mauvais goût aux vins.**

Les bouchons défectueux sont une plaie : ils dégoûtent le gourmet, ils nuisent aux restaurateurs innocents, ils lèsent les vignerons, dont ils endommagent les produits, et ils font retomber la faute aux bouchonniers, souvent désemparés. Comment éviter ce mal ? À l'AgroParisTech, L. Eveleigh et N. Boudaoud ont mis au point une méthode d'analyse rapide des bouchons.

Le goût de bouchon est une odeur de moisi ou de liège humide, plus ou moins intense, qui ne s'estompe pas, hélas, quand on aère le vin. Le chlore est souvent la cause de ce goût : sa réaction avec des phénols, abondants dans le vin, forme notamment des composés nommés trichloroanisoles. Ces molécules sont olfactivement redoutables : il suffit d'une dose infime de trichloroanisoles (cinq milliardièmes de gramme par litre) pour que le vin sente le bouchon. Or le taux moyen de bouchons contaminés atteint cinq pour cent !

## Chais ou bouchons ?

Les bouchons de liège agglomérés semblent plus sujets à rejet « bouchonneux » que les autres, la dégradation de la colle utilisée favorisant parfois la formation des trichloroanisoles. Toutefois, les bouchons ne sont pas seuls responsables de leur goût, et les chais, aussi, peuvent apporter les molécules qui font des goûts de bouchon. Enfin, pour compliquer le tableau, les trichloroanisoles ne sont pas les seules molécules responsables du goût de bouchon. Certains chlorophénols ont été soupçonnés, puis condamnés, ainsi que bien d'autres molécules organiques dont la concentration devient supérieure à un seuil tolérable. Tel paraéthylphénol, qui donne une odeur de vieux cuir dans les bourgognes âgés, quand sa concentration est inférieure à quatre parties par million, donnera un goût tourbé en concentration un peu supérieure dans des whiskys, et un goût affreux de caoutchouc brûlé quand il est encore plus concentré.

Aujourd'hui, les techniques d'analyse permettent de différencier les types de chloroanisoles trouvés dans les vins bouchonnés : quand il s'agit du 2,4,6-trichloroanisole, on peut accuser le bouchonnier, car cette molécule est typique du liège, mais quand le laboratoire identifie du 2,3,4,6-tétrachloroanisole, l'environnement est en cause, car cette molécule est familière du bois, et le vigneron inspectera ses cuves.

Pour tester les lots de bouchons ou les vins bouchonnés, soit on fait respectivement macérer des bouchons dans l'eau, soit on dilue le vin défectueux, on capte les molécules volatiles de l'eau ou du vin à l'aide d'un « piège » (une fibre sur laquelle ces molécules s'adsorbent), puis on effectue une chromatographie en phase gazeuse, couplée à une spectrométrie de masse, après avoir dissocié les molécules issues de la chromatographie.

Ces analyses ont identifié, pour les bouchons, plus de 100 composés volatils notables : des acides organiques tels que l'acide acétique, des furanes, des aldéhydes, des phénols, telle la vanilline, et des hydrocarbures, linéaires ou ramifiés. Hélas, cette chromatographie en phase gazeuse couplée à la spectrométrie de masse est fastidieuse. Aussi les chimistes ont cherché des analyses plus rapides, par des spectrométries de masse des produits volatils non séparés : des analyses statistiques des données de cette spectrométrie suffiraient-elles à classer les bouchons ?

## Molécules classées

C'est la question qu'ont étudiée les chimistes d'AgroParisTech. Les tests ont porté sur des bouchons de trois origines géographiques : Espagne, Portugal et Maroc. La première analyse statistique utilisée a été l'analyse en composantes principales, qui explore sans préjugé l'ensemble des données recueillies. Cette analyse a montré que les données associées aux bouchons se répartissaient en trois classes séparées… correspondant aux trois origines géographiques.

Une seconde méthode statistique, dite des moindres carrés partiels, a aussi permis de prévoir les appartenances. Elle a été mise à l'épreuve pour de nouvelles données, obtenues par l'analyse spectrométrique de masse des mêmes bouchons, après respectivement trois mois et six mois de stockage. Enfin l'usage des deux méthodes statistiques simultanément a permis d'identifier des fragments particuliers de spectrométrie de masse, en nombre réduit (des trois quarts), sur lesquels peut se fonder une identification de l'origine des bouchons. Les chimistes cherchent, maintenant, si les mêmes méthodes pourraient identifier rapidement les bouchons défectueux.

CHAPITRE 4

# La question des hors-d'œuvre

Imaginons que nous devions nous mettre rapidement en cuisine, sans livre. Quels principes pourraient nous guider ? Puisque la pratique culinaire est la mise en œuvre de phénomènes de nature chimique ou physique, cherchons nos principes dans ces deux disciplines.

En physique, la question de la diffusion des molécules est certainement centrale : les molécules des gaz et des liquides se meuvent au hasard des chocs contre leurs congénères, transmettant la chaleur, modifiant les concentrations... De ce fait, des possibilités nouvelles de réactions apparaissent. Quelle chimie naît-elle alors ? Il est utile de distinguer les forces « fortes », qui lient les atomes dans les molécules « habituelles » (par exemple, les atomes d'oxygène et d'hydrogène dans une molécule d'eau), et les forces faibles, qui lient des molécules sans faire perdre à celles-ci leur individualité, formant des supermolécules.

Le mouvement des molécules déclenche des réactions chimiques. En cuisine, la réaction identifiée en 1912 par le chimiste nancéien Louis-Camille Maillard est importante : des sucres peuvent réagir avec des acides aminés pour engendrer des composés bruns, sapides, odorants. Toutefois, je suis puni par là où j'ai pêché, parce que mon appel à la réhabilitation de Maillard a fait croire que seules les réactions de Maillard sont à l'origine du bon goût du rôti, de la croûte du pain, du chocolat ou du café. Non ! La chimie est riche de mille autres réactions merveilleuses qui contribuent au goût des aliments, lors des transformations culinaires. Dans un bouillon, les hydrolyses du tissu collagénique engendrent des acides aminés aux saveurs particulières. Les oxydations, également, sont importantes en cuisine, à commencer par l'auto-oxydation des graisses (le « rancissement »).

À ce stade, je m'aperçois que nous avons versé dans la chimie, alors que je voulais vous entretenir de physique. Si les diffusions sont importantes, c'est surtout la notion d'énergie qui prime. Les molécules migrent-elles ? C'est qu'elles minimisent leur énergie. Une réaction chimique a lieu ? C'est encore une question d'énergie. L'énergie, vous dis-je !

Oui, l'énergie, mais aussi les gels, dans une moindre mesure. Un gel, c'est un système « dispersé », composé d'une phase aqueuse dispersée dans une phase solide continue. Avec une telle définition, on comprend que les gels soient de nombreux types. Par exemple, dans les aspics, la gélatine forme un réseau tridimensionnel où l'eau est tenue. Même structure pour les confitures, où la pectine tient l'eau. Même type de structure pour le blanc d'œuf cuit sur le plat. Même structure... avec les viandes, les fruits, les légumes, les poissons, composés majoritairement d'eau « tenue » dans des cellules : fibres musculaires pour les poissons et les viandes, cellules entourées d'une paroi rigide faite de cellulose, hémicelluloses et pectines dans les légumes et les fruits. La différence, c'est que ces derniers gels ne sont pas « connectés » : peu de communication entre les cellules, alors que l'on sait bien qu'un clafoutis se tache de la couleur des cerises, quand on attend un peu, les molécules colorantes des cerises migrant dans le gel du clafoutis par diffusion.

On tourne en rond : diffusion, gel, diffusion..

Il est temps de partir en exploration des « hors d'œuvre ».

# L'œuf à 65 degrés

**En cuisant un œuf dans un four à une température intermédiaire entre celles de coagulation du jaune et du blanc, vous obtiendrez un œuf nouveau.**

Un œuf qui cuit est un de ces « miracles quotidiens » que nous ne voyons plus : la transformation d'un liquide jaunâtre et transparent en un solide blanc et opaque n'est-elle pas un phénomène remarquable ? Cette prise est une gélification thermique : les protéines qui constituent dix pour cent du blanc d'œuf se lient, formant un réseau continu qui piège l'eau du blanc en un « gel » chimique. C'est ce phénomène de gélification que je vous propose d'examiner tout d'abord.

La théorie de la prise en gel a des pères prestigieux : ainsi, le physicien écossais Thomas Graham proposa, en 1861, une classification des systèmes physiques divisés que sont les aérosols, émulsions, suspensions… Parmi ces « colloïdes » (du grec *kolla*, la colle), Graham inclut les gels que forment l'acide silicique hydraté, l'alumine hydratée, l'amidon, la gélatine, le blanc d'œuf, etc. À cette époque, la gélification semblait s'apparenter à la cristallisation d'un corps à partir d'une solution sursaturée, et l'on ne faisait pas de distinction entre les substances naturelles, telles la pectine ou la gélatine, et les solutions concentrées de composés inorganiques insolubles, tel le sulfate de baryum.

Progressivement, les physiciens découvrirent que l'état de gel était associé à la formation d'un réseau continu, dans le liquide. Dans les années 1940, la théorie de la gélification progressa doublement. D'une part, le physicien américain P. Hermans proposa une classification des différents types de gels (séparant les agrégats de particules sphériques, les réseaux de fibres ou de particules allongées, les gels physiques de polymères, les gels chimiques, faits de fils souples liés par des liaisons covalentes) ; d'autre part, J. D. Ferry étudia la constitution des gels de protéines : autrement dit, le blanc d'œuf coagulé. Ferry supposa notamment que la coagulation résultait d'une double réaction : d'abord, les protéines, pelotes repliées sur elles-mêmes, se déroulent (« dénaturation ») ; puis les protéines déroulées s'associent en un réseau (« agrégation »).

Les vitesses de ces deux étapes déterminent les caractéristiques du gel : Ferry proposa que, si l'agrégation est plus lente que la dénaturation, les gels formés sont moins opaques et plus fins que les gels formés avec une grande vitesse d'agrégation. Dans les années 1970, à Göteborg, Anne-Marie Hermansson a testé ces prévisions en explorant les conditions qui favorisent la dénaturation, telles qu'un *p*H élevé ou bas : les charges électriques que portent alors les protéines favorisent les interactions entre ces dernières et les molécules du solvant (c'est-à-dire la dénaturation), mais réduisent l'agrégation : elle confirma qu'un gel plus ordonné se forme si l'agrégation est plus lente que la dénaturation, donnant aux protéines dénaturées le temps de s'orienter avant l'agrégation ; ce gel est moins opaque et plus élastique que ceux dont l'agrégation n'est pas ralentie. Inversement, quand l'agrégation et la dénaturation sont simultanées, un gel opaque et moins élastique se forme.

## En cuisine, faire simple !

Comment utiliser ces théories en cuisine ? Le cuisinier qui a maîtrisé les points précédents risque d'être désemparé par la complexité du blanc d'œuf qui contient dix pour cent de protéines que sont l'ovotransferrine, l'ovomucoïde, le lysosyme, l'ovalbumine, les globulines ; le jaune d'œuf, lui, contient des protéines liées à du cholestérol (LDL et HDL), des livetines, de la phosvitine... Quelles sont les températures de dénaturation de toutes ces protéines ? Là encore, la réponse est embarrassante : ces protéines se dénaturent respectivement à 61, 70, 75, 84,5, 92,5, 70, 72, 70, 80, 62 et plus de 140 °C.

Comment se tirer d'embarras ? Par l'expérience. Mettons du blanc d'œuf dans un récipient en verre que l'on chauffe par le fond : à l'aide d'une sonde, on mesure alors la température à laquelle le blanc, liquide jaunâtre et transparent, s'opacifie et durcit : environ 62 °C. Les données précédentes montrent que c'est vraisemblablement l'ovotransferrine qui assure cette coagulation initiale. Pour le jaune, on obtient de la même façon une température de 68 °C. Aux températures supérieures, quand plusieurs protéines ont coagulé, la consistance durcit, parce que les réseaux associés à chaque protéine coagulée tiennent mieux la phase liquide.

Dans un four préchauffé à 65 °C, plaçons un verre avec un blanc d'œuf, un verre avec un jaune d'œuf, un verre avec le blanc et le jaune mélangés, et un œuf entier, dans sa coquille. Attendons quelques heures (une ou deux de plus ne changeront rien au résultat, pour peu que les verres aient été recouverts d'un film plastique, qui évitera l'évaporation de l'eau et le croûtage des préparations), puis sortons les échantillons et observons.

Le blanc est pris (puisque la température de 65 °C est supérieure à la température de 62 °C préalablement mesurée), mais il est encore laiteux, très délicat et pas caoutchouteux comme dans les œufs durs trop cuits. Le jaune, lui, est liquide : si la livetine gamma a une température de coagulation de 61 °C, sa concentration n'est pas suffisante pour faire prendre le liquide. Et l'œuf entier, dans sa coquille, se laisse écaler, puis verser dans un bol : superbe masse laiteuse, coagulée mais tendre, de forme parfaitement régulière, dont le jaune a conservé un goût puissant de jaune frais et non un goût d'omelette ou d'œuf dur.

Enfin, le verre qui contient le mélange de jaune et de blanc est pris, et nous obtenons des œufs brouillés parfaits, sans grumeaux. Le cuisinier parisien Pierre Gagnaire en a fait un plat, qu'il a nommé « œufs brouillés de la Cité » : dans une tasse, mettez jaune et blanc avec un peu de sucre et un peu de vanille ; enfournez à 65 °C et, quand la masse est prise, sortez et servez avec un coulis d'abricots un peu acides. Bon appétit.

# Les poissons à la tahitienne

**Pour qu'elles se conservent, les protéines des poissons sont mises en solution, puis gélifiées. Dans ce processus, les bases « coctent » mieux que les acides.**

Qu'est-ce que cuire ? Selon les dictionnaires, la cuisson est une transformation des aliments qui résulte d'un chauffage. Imprécise définition : suffirait-il de décongeler un poisson pour qu'il soit cuit ? Certainement pas, bien qu'il y ait eu chauffage et transformation de l'aliment. Et de l'eau qui s'évapore, est-elle cuite ? *Omnia definitio periculosa*. Explorons plutôt le royaume du cuit, pour cerner la notion. Les cas de cuissons pathologiques sont les œufs placés dans de l'éthanol (en cuisine, de l'eau-de-vie de mirabelle est préférable), qui coagulent et forment comme des œufs pochés ; ou bien, encore, les œufs placés dans des bases (les œufs de cent ans des populations d'Asie) ou dans des acides (des œufs d'« anti-cent ans », puisque les bases sont à l'opposé des acides). Plus communs, les poissons à la Tahitienne, macérés dans du jus de citron, acide, sont des cousins des *ceviches* d'Amérique du Sud et des *surimis* dont les versions aromatisées au crabe ont envahi les grandes surfaces européennes. À l'Université de technologie de Suranaree, J. Yongsawatdigul et J. Park ont exploré des versions modernes de ces dernières préparations, obtenues par « gélification » de protéines de muscles d'un poisson pêché près de côtes du Pacifique : le sébaste *(Sebastes flavidus)*.

Les *surimis* sont des produits traditionnels que les femmes de marins japonais confectionnaient pour allonger la durée de conservation des protéines du poisson frais (*surimi* signifie « chair de poisson ») : après étêtage et vidage des poissons, elles broyaient les chairs en une pâte à laquelle elles ajoutaient des blancs d'œufs, de la farine, de l'huile, du sel et des ingrédients donnant du goût (épices, aromates...) ; la préparation, cuite à la vapeur, était détaillée en bâtonnets.

## Précipitations et coagulations

La production moderne est un peu différente : les chairs sont lessivées à grand renfort d'eau, ce qui concentre les protéines qui assurent la contraction des fibres musculaires, puis coagulées (ou « gélifiées »). Toutefois le rendement du procédé atteint à peine 30 pour cent et, en 1999, une équipe américaine a breveté un procédé qui solubilise les protéines myofibrillaires (qui assurent la contraction) et sarcoplasmiques (qui permettent à toute cellule de vivre) et les précipite ensuite.

Ce brevet se fonde sur le fait que les protéines sont des chaînes « hérissées » de groupes latéraux, certains électriquement chargés. Par exemple, les groupes acides carboxyliques $-COOH$ de l'acide aspartique se chargent négativement (ils s'ionisent en $-COO^{-}$), en milieu basique, tandis qu'ils sont neutralisés en milieu acide ; les groupes amines $-NH_2$ de l'acide aminé nommé lysine sont chargés positivement en milieu basique (ils s'ionisent en $-NH_3^{+}$). Au total, selon que le milieu est acide ou basique, les protéines sont chargées positivement ou négativement; au point « isoélectrique », la charge électrique totale de la protéine est nulle.

Ces ionisations déterminent la solubilité des protéines : dans des solutions très acides ou très basiques, les protéines, chargées en plusieurs endroits de la chaîne, se repoussent et passent en solution, d'autant que les charges électriques ont une affinité pour les molécules d'eau. Au point isoélectrique, la neutralisation permet le regroupement : les protéines précipitent, formant des gels, où de l'eau est piégée.

## Deux populations de protéines

Des chimistes de l'Université de l'Oregon ont mesuré que la myosine (une des protéines assurant la contraction des muscles) de saumon se solubilisait dans les milieux très acides ou très basiques. On produisait ainsi du surimi par neutralisation de solutions acides de protéines, comme on le faisait depuis plusieurs années, mais aussi de solutions basiques (la neutralisation s'impose pour que le produit soit comestible !).

Les chimistes thaïlandais ont montré que les gels ainsi formés sont plus fermes quand ils proviennent de solutions alcalines, notamment parce que des enzymes nommées cathepsines dégradent les protéines myofibrillaires, alors que ces mêmes enzymes ne semblent pas actives en milieu alcalin. D'autre part, les gels formés à partir des seules protéines myofibrillaires sont plus fermes que ceux qui contiennent aussi les protéines sarcoplasmiques.

Cette précipitation est-elle une « cuisson » ? Une consultation, par courriel, de 6357 personnes inscrites sur la liste de distribution « gastronomie moléculaire » a tranché : 90 pour cent des personnes ont préféré l'introduction du mot « coction », de même racine indo-européenne *kok* que le mot cuisson, pour décrire ces « cuissons sans chauffer » (la « décoction » est ainsi l'extraction ultérieure d'un aliment qui aurait été cocté). Le résultat des chimistes thaïlandais s'énonce désormais ainsi : les surimis sont coctables par alcalinisation de solutions acides, mais aussi par acidification de solutions alcalines, et les gels formés dans le second cas sont préférables.

# Soit un œuf...

**Réinventons le répertoire culinaire : faisons la découverte d'un nombre infini de nouvelles préparations avec une méthode simple.**

La cuisine dont nous avons hérité est-elle un achèvement ? L'empirisme a-t-il joui d'assez de temps pour nous procurer la totalité des mets que notre gourmandise attend ? La question posée ne porte pas sur les goûts, qui sont infinis, mais sur des possibilités de transformation culinaires pour produire des « structures alimentaires » qui recevront des goûts sur mesure.

Partons d'un œuf, en pensant que nous pourrions faire de même avec une viande, un légume, un poisson ou un fruit. Le philosophe strasbourgeois Abraham Moles, inspiré par la classification périodique des éléments de Mendeleïev, avait proposé des « matrices d'invention ». Suivons ses préceptes : dans la partie supérieure d'un tableau, mettons donc l'œuf. Puis, dessous, disposons des cases pour y placer les possibilités de division : l'œuf entier dans sa coquille, ou bien le jaune et le blanc séparés, mais hors de la coquille, ou bien encore le blanc et le jaune battus ensemble, ou le jaune seul, et enfin le blanc seuls (sans oublier la coquille qui a été trop négligée jusqu'ici).

## Divisions et ajouts

Après la première opération de division de l'œuf, décidons ou non d'ajouter un autre composant alimentaire. Chaque case se divise en neuf : une pour l'ajout de rien, une pour l'ajout de gaz, d'une solution aqueuse, d'huile (tout corps gras à l'état liquide), de solide, d'éthanol, d'acide, de base (du bicarbonate, ou de la lessive de cendres, laquelle contient de la potasse), et une, enfin, pour l'ajout de chaleur.

Nous avons 54 cases, et certaines correspondent déjà à des produits alimentaires nouveaux. Il est évidemment exclu de les décrire toutes. Commençons seulement : l'œuf entier, dans sa coquille, qui ne subit aucun ajout, est un œuf cru, que l'on gobe. L'œuf entier, dans sa coquille, auquel nous ajoutons un gaz, de l'eau, de l'huile, ne subit pas de transformation supplémentaire. Le même œuf en milieu basique, comme de la cendre, devient un œuf de cent ans, parce qu'en milieu basique les protéines sont dénaturées ; même type d'action pour les acides, qui conduisent à des « œufs d'anti-cent ans ». Avec l'alcool ? Je vous invite à faire l'expérience sans tarder : il faut quelques mois pour obtenir le résultat, que je nomme un « Baumé ».

Avec le blanc seul, l'ajout de chaleur conduit à des résultats qui dépendent de la température atteinte, variables entre le blanc mollet et le blanc caoutchouteux ; l'ajout de gaz amène au classique blanc en neige, tandis que l'addition d'une solution aqueuse conduit à un blanc d'œuf allongé, que nous « réserverons », comme le disent les cuisiniers. L'ajout d'huile donne une émulsion blanche, au goût de l'huile ajoutée. L'ajout d'alcool ? Le blanc coagule avec une consistance spécifique. L'ajout d'acide ? Il faut attendre plusieurs jours... pour ne pas être surpris, puisque nous retrouverons le blanc coagulé d'un œuf d'anti-cent ans. Avec le jaune, le jaune et le blanc séparés ou ensemble, mêmes types de résultats.

## Des inventions à foison

Descendons alors d'une rangée, en continuant de transformer les résultats obtenus. Ainsi le blanc en neige de la troisième rangée pourra être chauffé, additionné de gaz, d'eau, d'huile, de solide, de base, d'acide, d'alcool, ou chauffé à nouveau. Battrons-nous du blanc en neige en lui ajoutant un liquide ? Le blanc prend du volume, et, si nous nous y prenons bien, nous pouvons obtenir jusqu'à un mètre cube d'une mousse qui aura le goût du liquide ajouté : citron si nous avons ajouté le jus d'un citron, café si nous en avons ajouté, thé, bouillon si... Et si nous cuisons le blanc en neige ? Et si nous ajoutons de l'huile en fouettant ? Et si... Je vous laisse la surprise, et vous propose de descendre d'une ligne de plus dans le tableau.

Chaque case de la quatrième rangée engendre à nouveau neuf cases de la cinquième rangée, ce qui nous conduit à un total de 6 fois 9 fois 9 fois 9, soit 4374 cases. Toutes ne sont pas pertinentes, mais beaucoup sont inconnues de la cuisine classique, et ne nous font donc pas regretter d'avoir construit un si gros tableau.

Par exemple, ce blanc d'œuf battu en neige, additionné de sucre et de jus de citron, que nous passerons au four à micro-ondes ; ou le même, que nous cuisons telle une meringue, et qui procure un « cristal de vent » au citron (une sorte de meringue légère...). Et ce mélange de jaune et de blanc battus, additionnés de sucre (à ce stade, nous obtenons le début d'une préparation pour génoise), d'un liquide (essayez le citron), d'un peu d'alcool (le rhum ? la vodka ?), puis que nous passons au four à micro-ondes (je propose de nommer « Avogadro » cette préparation qui fait un grand volume et s'apparente à un sabayon poché au lieu d'être battu pendant la cuisson).

Arrêtons-nous là : l'évocation ressemble trop à l'énumération de Garrigou des *Trois messes basses*, qui conduit à la damnation. Ce qui est manifeste, c'est que l'inventivité peut-être aiguillonnée par la gourmandise !

# Le repliement en cuisine

**Les repliements successifs d'une pâte, connus depuis 4 000 ans, exploitent toute la mégalomanie de l'exponentielle.**

Dans la confection des aliments à base de pâte, les pâtissiers utilisent, depuis le Néolithique (nous verrons plus loin les preuves de cette affirmation), le processus de repliement. Cette opération répétée (pensez aux millefeuilles) exploite les propriétés de l'exponentielle, la voie royale vers de très grands nombres.

Cuisiniers, puis scientifiques ont examiné comment des graines de céréales écrasées, puis triturées avec de l'eau, forment une pâte où les protéines du gluten constituent un réseau qui emprisonne les grains d'amidon. Les cuisiniers étalent cette pâte au rouleau, puis l'amincissent progressivement avant de la cuire pour confectionner le pastis gascon, le strudel alsacien, la croustade tarnaise.

Cette famille de plats se distingue de la crêpe, laquelle est obtenue à partir d'une bouillie, pour être ensuite cuite sur un solide chaud : les grains d'amidon gonflent, « s'empèsent », se soudent, tandis que l'eau en excès est éliminée ; on obtient alors une crêpe de froment ou de riz, une galette, une feuille de brick...

## Du millefeuille à la nouille

Obtenir le millefeuille à partir de ces feuilles n'est pas une bonne méthode, comme on le découvre quand on tente de plier répétitivement en deux une feuille de papier : après six itérations, le repliement devient difficile. Cependant, les cuisiniers savent que les pâtes peuvent être amincies lorsqu'elles ne sont pas cuites : ainsi, les pâtes feuilletées s'obtiennent par formation d'une enveloppe de pâte, avec une couche de beurre au milieu. Par étirement dans une direction, puis repliement en trois et ainsi de suite six fois, on obtient 730 feuillets de pâte. Avec deux couches de ce type, le nombre de mille feuillets, témoin de probité commerciale, est atteint.

De quand date l'invention ? Les archéologues de l'Université de Pékin ont montré que « l'exponentiation » était déjà empiriquement employée en Chine il y a 4 000 ans. La découverte de Houyuan Lu et ses collègues (*Nature*, vol. 437, octobre 2005) éclaire du même coup l'histoire des pâtes alimentaires.

Qui a inventé les pâtes ? L'Italie a longtemps prétendu en être le berceau, et une mauvaise histoire de l'alimentation, due à des fabricants italiens en mal de publicité, a d'abord crédité le Vénitien Marco Polo de les avoir rapportées de Chine. À ces souvenirs de voyage publiés en 1299, les historiens de l'alimentation ont opposé des documents montrant que des fabricants existaient déjà au XII$^{e}$ siècle ; il a semblé alors que les pâtes étaient venues d'Afrique du Nord, en transitant par la Sicile. L'Alsace, avec ses *spätzle*, a également fourni des documents attestant de nouilles médiévales plus anciennes, jusqu'à ce que l'on trouve des vestiges étrusques.

Alors, Italie ? Alsace ? Afrique du Nord ? Chine ? Inde ? L'analyse technologique du produit laisse penser que l'invention des pâtes a dû suivre très vite l'utilisation des céréales et la préparation de la farine : comment les Anciens auraient-ils pu ne pas inventer des filaments pour les faire bouillir ?

La découverte faite en Chine redonne à la Chine (jusqu'à quand ?) la primauté des pâtes : depuis 1999, les archéologues chinois fouillaient le site de Lajia, au Nord-Ouest de la Chine, en bordure du fleuve Jaune. Daté par dosage des isotopes du carbone, ce campement néolithique se trouvait à trois mètres de profondeur, sous les sédiments ; il fut apparemment détruit à la suite d'un séisme qui inonda le campement. Tout récemment, les archéologues ont retrouvé un bol en terre scellé par une argile jaune-brun dont le contenu avait été préservé. Dans le bol, on a trouvé des pâtes, ainsi que des grains de céréales qui avaient sans doute servi à confectionner les pâtes.

## Écheveaux exponentiels

La comparaison de ces grains à ceux de plantes autochtones, notamment du genre *Hordeaum* (l'orge), *Triticum* (le blé), *Panicum* et *Setaria* (millets), a d'abord conduit à l'identification de *Panicum miliaceum* et *Setaria italica* comme les espèces dont provenait la farine qui a fait les pâtes chinoises. L'étude, au microscope, des grains d'amidon dont les pâtes néolithiques étaient constituées a corroboré l'hypothèse : ces grains ressemblent beaucoup à ceux de millets.

Les pâtes retrouvées ont un diamètre de trois millimètres, et une longueur de 50 centimètres. Comment ont-elles été obtenues ? Par voie exponentielle ! En effet, ces pâtes ressemblent aux pâtes cantonaises que les cuisiniers actuels obtiennent en formant d'abord un pâton, à partir de farine et d'eau, puis en étirant le pâton, en le repliant en deux après l'avoir fait voltiger en l'air afin de l'étendre, en repliant encore en deux après étirement, et ainsi de suite.

Il n'est pas difficile de calculer qu'à partir d'un pâton de cinq centimètres de diamètre et de 20 centimètres de long, il suffit d'une dizaine d'opérations pour obtenir des pâtes de diamètre égal à un millimètre ! On dit que les plus habiles des cuisiniers chinois parviennent à faire passer leurs pâtes dans le chas d'une aiguille. Pas étonnant mathématiquement… mais difficile techniquement !

# Éliminons les grumeaux !

**Comment éviter les grumeaux qui surnagent dans les sauces ? En les désagrégeant par l'eau qui pénètre, par percolation, dans les grains de farine.**

Versons très lentement de la farine dans de l'eau chaude : elle tombe au fond, preuve qu'elle est plus dense que l'eau. Puis versons d'un coup une cuillerée de la même farine dans un verre d'eau chaude et observons : une masse se forme et demeure en surface. C'est un « grumeau ». Pourquoi le grumeau ? Comment l'éviter ?

Analysons la question : la farine qui est arrivée dans l'eau est composée de grains, lesquels sont majoritairement composés de couches concentriques de deux sortes de molécules, amylose et amylopectine, deux polymères du glucose. Lorsque de tels grains tombent dans l'eau chaude, l'amylose sort des grains et se dissout dans l'eau, tandis que l'eau s'immisce entre les molécules d'amylopectine et y reste piégée, ce qui fait gonfler les grains. Ces derniers fusionnent en s'« empesant », et forment un empois, comme dans une sauce blanche. Cet empois bloque la pénétration de l'eau dans le grumeau, tandis que l'air piégé entre les grains sustente le grumeau qui flotte.

## Écoulements ralentis

Pour le physicien, l'empois est un gel, puisque composé d'eau dispersée dans un solide. L'eau y est piégée, parce que des « liaisons hydrogène » s'établissent entre les molécules d'eau et les groupes hydrophiles (les groupes hydroxyle –OH) de l'amylopectine, et aussi pour des raisons hydrodynamiques. En effet, on peut considérer que l'eau se trouve dans des « canaux » du gel.

Or le débit d'un liquide dans un canal varie comme la puissance quatrième du diamètre : en supposant une taille de canaux de un micromètre (en réalité, c'est bien moins), on calcule un débit qui s'exprime en millionièmes de millionième de millionième de millionième de mètre cube par seconde. Rien, en pratique : de ce fait, une fois le gel formé, l'eau n'entre plus que très lentement dans le grumeau, qui subsiste.

Le cuisinier peut-il l'éviter ? Les recettes, trucs, astuces... ne manquent pas, à cette fin, avec des résultats variés, mais la physique pourrait-elle apporter sa pierre, plus radicale et définitive ?

Analysons le problème en le modélisant : les grains de farine qui tombent seront considérés comme les nœuds d'un réseau. La farine est non connectée quand elle est sèche, connectée quand les grains se collent.

Des nœuds d'un réseau avec des connexions ? La théorie de la percolation permet de décrire de tels systèmes, dans des cas variés, avec des lois générales, valables dans tous les cas. Par exemple, des grains de café dans un percolateur forment un réseau où l'eau circule ; rien ne coule tant qu'un chemin continu ne s'est pas établi, entre le haut et le bas du réseau. Le moment où un tel chemin s'établit – et où l'eau coule, ce qui est l'important pour le cafetier – est la « transition de percolation ».

La théorie de la percolation s'applique aussi bien à la description des épidémies : une population est un ensemble d'individus (les nœuds du réseau) qui s'échangent une maladie, telle la grippe ; la transmission du virus est comme l'établissement d'une liaison entre deux nœuds.

## Le sablage et la percolation

Même principe pour un grillage métallique entre les deux bords duquel on établit une différence de potentiel ; dans ce cas, les liaisons entre les nœuds sont établies initialement, mais commençons à en couper certaines, au hasard. Tant qu'il reste un chemin continu entre le haut et le bord du grillage, le courant passe ; après un certain taux (statistique) de liaisons coupées, le courant ne passe plus. Le moment précis à partir duquel le courant ne passe plus est la transition de percolation.

Les physiciens ont beaucoup étudié ce type de systèmes, et déterminé les transitions de percolation, qui dépendent du type de réseau considéré. La valeur exacte ne sera pas utile en cuisine, mais l'idée demeure : si nous faisons en sorte qu'une certaine proportion de liaisons entre grains de farine ne s'établisse plus, le grumeau ne peut plus se former. Comment éviter les liaisons entre les grains ? Par exemple en intercalant entre les grains de farine des grains d'un autre matériau qui ne gélifie pas, tel du sucre, du glucose, de l'acide tartrique, du sel.

L'expérience est concluante : dans un bol, mélangeons de la farine et du sucre (un tiers environ), puis prenons une cuillerée de ce mélange, et versons-la d'un coup dans un verre d'eau chaude : cette fois, toute la poudre tombe au fond du verre. Le grumeau est évité, grâce à une idée physique fondamentale.

# Succulentes perles

**En maîtrisant les lois de la physico-chimie, on sait faire du caviar artificiel et bien d'autres gelées étranges.**

La gelée salée la plus classique, en cuisine, est celle que l'on obtient à partir de gélatine : les livres de cuisine préconisent de l'extraire du pied de veau, cuit dans un bouillon qui est ensuite « clarifié » (on ajoute un blanc d'œuf lequel, en coagulant, emprisonne les particules qui troublent la solution). À côté de la gélatine, ne pourrait-on utiliser les agents gélifiants connus de l'industrie alimentaire ? La crise de la vache folle a fait craindre (à tort) la présence de prions pathogènes dans la gélatine de bœuf ou de porc, et la cuisine s'est intéressée aux gélatines de poissons ; puis à d'autres gélifiants, classés dans la « terrible » catégorie des additifs alimentaires (mais que les cuisiniers utilisent depuis la nuit des temps) et parmi eux, les alginates, extraits d'algues brunes. Ces molécules sont des polysaccharides, comme l'amidon ou la pectine, c'est-à-dire de longs enchaînements de sucres, en l'occurrence l'acide mannuronique et d'acide guluronique (des molécules portant plusieurs groupes hydroxyles –OH et un groupe acide carboxylique –COOH).

## Les gélifiants des algues

Aujourd'hui, les alginates, en vogue dans les restaurants étoilés, permettent d'emprisonner des liquides variés : on dissout des alginates dans une solution qui a du goût, puis on fait tomber des gouttes de cette solution dans un bain contenant des ions calcium ; les alginates gélifient en surface des gouttes et emprisonnent la solution dans un film gélifié dont l'épaisseur dépend du procédé de gélification. Ainsi l'industrie produisait, il y a quelques années, du « caviar artificiel », et les cuisiniers modernes réalisent ce que j'ai proposé de nommer des « perles » : perles de bouillons (on emprisonne un bouillon corsé dans une mince enveloppe d'alginates gélifiés), perles de bisque de homard, perles de jus de fruit de la passion...

Certains cuisiniers ont parfois été gênés par la texture un peu caoutchouteuse des gouttes qu'ils obtiennent. Le problème n'est pas difficile à régler, car les divers alginates comportent des proportions différentes de leurs deux types d'acides et ont, en conséquence, des comportements gélifiants différents. Des constitutions chimiques différentes des alginates conduisent à des gels de textures différentes. Ainsi, les alginates contenant une forte proportion d'acide guluronique engendrent des gels cassants, tandis que les alginates contenant plus d'acide mannuronique font des gels plus élastiques.

Une autre manière d'agir sur les gels est de régler la concentration en ions calcium qui pontent les groupes acides : à concentration élevée en ions calcium, les gels formés sont très liés, très fermes, résistants à la chaleur. L'acidité du milieu ou la concentration en divers autres ions est aussi importante : en dépendent la solubilité et la rétention d'eau des alginates.

Dans les années 1990, le physico-chimiste danois K. Draget avait proposé de libérer lentement le calcium dans un gel uniforme. Dans la revue *Lebensmittel Wissenschaft und Technologie*, Jong-Whan Rhim, de l'Université de Mokpo, en Corée, étudie les propriétés de films d'alginates ainsi formés pour mieux maîtriser les propriétés de tels gels et de réduire la concentration en alginates.

## Sensibles réglages

J.-W. Rhim a étudié deux méthodes de production de ces films : l'ajout de faibles concentrations en chlorure de calcium à des solutions d'alginate, d'une part, et l'immersion successive de solutions d'alginates dans des solutions dont les concentrations en chlorure de calcium sont croissantes, d'autre part. Pour tous ces gels, J.-W. Rhim a étudié la résistance mécanique, l'élasticité, le gonflement dans l'eau pure et diverses autres propriétés physiques des gels d'alginates.

Deux mécanismes s'opposent lors de la gélification : le passage des alginates en solution, et la réticulation par les ions calcium. Quand la concentration en ions calcium est faible, le premier phénomène l'emporte, et les films sont minces et souples ; au contraire, on obtient des films cassants et épais, quand la concentration en ions calcium est importante. La méthode qui consiste à utiliser de faibles concentrations en ions calcium produit des gels plus fragiles et plus étirables.

J.-W. Rhim a également considéré l'effet d'une molécule qu'il disperse dans le gel et qui ne participe pas à ce dernier : la glycérine. Les résultats obtenus montrent que des gels très différents sont obtenus quand la glycérine perturbe le gel et le fragilise. Évidemment, en cuisine, la glycérine devrait être remplacée par une molécule plus comestible, mais les cuisiniers ont l'habitude de jouer avec de tels plastifiants : c'est ainsi qu'ils utilisent du glucose pour prévenir la cristallisation des sirops de sucre de table (le saccharose) ; la matière grasse, également, sert souvent à amollir les aliments. Il y a tout un monde de réflexion dans les gels.

# Les gelées de thé

**Comment les obtenir limpides ? En évitant que les protéines de la gélatine soient précipitées par les polyphénols extraits du thé lors de l'infusion.**

Jadis, les bouillons n'étaient clarifiés que chez les aristocrates, qui voulaient, par là, distinguer leur consommé des brouets du vulgaire. D'où des manipulations culinaires semblables au collage des vins : à l'aide de blancs d'œufs, que l'on mêle au bouillon chauffé, on emprisonne les particules du trouble et l'on récupère, par filtration, un liquide clair. Aujourd'hui, héritiers de l'Ancien Régime (politique), nous voulons tous des gelées qui, comme les bouillons et les consommés, soient transparentes. Comment en obtenir avec du thé, alors que celui-ci se trouble à l'ajout de gélatine ?

## En route vers la consistance

Cette question est très à la mode, car les cuisiniers font aujourd'hui de la « déconstruction » : ils conservent l'idée des plats classiques, mais changent les ordonnancements et les apparences. Par exemple, pour un pot-au-feu, ils serviraient la viande de bœuf sous la forme de quenelles, et le bouillon pris en gelée, avec des légumes en purée, et les cornichons sous la forme de lamelles séchées. Les cuisiniers japonais, *O tempura, o mores* (j'insiste sur le *u*), au lieu de servir une sole meunière, feraient du poisson une texture tartinable, voire liquide comme le beurre, et donneraient au beurre une tenue semblable à celle du poisson.

Revenons à notre thé, auquel nous voulons conférer une texture gélifiée. À cette fin, faisons du thé par infusion de feuilles dans de l'eau chaude, puis ajoutons une feuille de gélatine... et c'est l'échec : le thé se trouble, et ne gélifie pas !

Une expérience précise la nature du phénomène. Le remplacement de la gélatine, qui est une protéine, par du blanc d'œuf, qui est composé d'eau à 90 pour cent et de protéines (ovalbumine, conalbumine, lysozyme...) à raison de 10 pour cent, montre, par le trouble engendré, que ce sont les protéines qui sont en cause et qui précipitent : sous l'action de quoi ? De quelque chose contenu dans le thé !

Réétudions notre infusion : les chimistes ont montré que sont extraits par l'eau, d'abord les molécules odorantes des feuilles de thé, puis des tanins (dans le cas du thé, des polyphénols). Rien d'étonnant à cela : le thé noir est obtenu à partir des tiges immatures de *Camellia sinensis*. Ses principaux constituants sont des polysaccharides, tels que la cellulose (environ 20 pour cent), des protéines (environ 15 pour cent), des quantités variables de polyphénols, de la caféine (environ trois pour cent). Lors de la fermentation du thé qui suit sa récolte, les polyphénols sont transformés et donnent au thé ses propriétés particulières, notamment de couleur et d'astringence (la sensation de resserrement dans la bouche). Ce sont ces polyphénols qui s'associent aux protéines de la gélatine, lesquelles s'agrègent alors pour former des particules qui précipitent : d'où le trouble.

Comment obtenir, alors, une gelée de thé ? Une première solution consiste à traiter le thé avec un agent gélifiant sans protéine. Longtemps, l'industrie alimentaire a ainsi utilisé des polysaccharides : alors que les protéines sont des enchaînements d'acides aminés, les polysaccharides sont des enchaînements de sucres simples, insensibles à l'action des polyphénols ; le thé ne se trouble pas lors de leur utilisation. Toutefois, la texture et l'aspect des gels obtenus ne sont pas identiques à ceux des gels de gélatine : les gels d'alginates sont cassants et opaques, ceux qui sont obtenus par un mélange de carraghénanes et de gomme caroube sont élastiques et clairs, ceux qui sont fabriqués avec la gomme xanthane et la caroube sont élastiques et opaques... Or nous voudrions conserver la texture, classique et appréciée, des gels de gélatine.

Une solution consiste à ajouter dans le thé, de la gélatine en quantité juste suffisante pour faire précipiter les polyphénols, puis à laisser sédimenter, ou à centrifuger, le liquide turbide formé. Le liquide clair récupéré sera débarrassé de ses polyphénols, de sorte qu'il gélifiera sans trouble après un nouvel ajout de gélatine.

## Opérations séparées

L'exercice est difficile, car le cuisinier ignore les concentrations en polyphénols de l'infusion : celles-ci varient selon la nature des feuilles de thé, la durée de l'infusion, la température de l'eau... Cette solution présente le risque que la gélatine fasse précipiter les polyphénols, mais gélifie le thé, ce qui empêchera la sédimentation du précipité.

Pourquoi, alors, ne pas « clarifier » le thé au blanc d'œuf, pour le gélifier ensuite avec de la gélatine ? Il ne restera alors plus qu'à régler le problème délicat de la perte de molécules odorantes au cours des manipulations... mais pourquoi les cuisiniers ne récupéreraient-ils pas ces molécules par des distillations ?

# Les gels sont partout...

**... apprenons à leur donner texture agréable et bon goût. La sauce nommée Kientzheim, émulsion de beurre fondu dans du jaune d'œuf, est un délice d'onctuosité.**

Nous décrirons ici l'invention d'une sauce au beurre nommée *Kientzheim*, qui, en refroidissant, prend une consistance souple : serait-ce un gel ? Oui. N'ayons cependant pas de prévention contre les gels, parfois imagés dans l'esprit des consommateurs comme ces desserts anglais, gélatineux et vibratoires, de couleurs variées et de goûts improbables, qui frémissent sous la langue quand on a la chance qu'ils n'aient pas glissé de la cuillère lors du survol périlleux de la chemise vers la bouche.

Sans gel, nous ne pourrions survivre : autour de nous, tout est gel. Les viandes et les poissons sont des gels, tout comme les légumes et les fruits, où un réseau continu solide enferme une solution. À ces gels où les compartiments aqueux sont séparés, la cuisine ajoute des gels plus connectés, comme la gelée de gélatine, réseau de molécules de gélatine où sont piégées des molécules d'eau. Dans les confitures, qui sont aussi des gels, c'est la pectine extraite des fruits lors de la cuisson qui s'associe en un réseau continu, quand le sucre est en concentration suffisante.

À côté de ces gels « physiques », réversibles, figurent des gels « chimiques », irréversibles. Par exemple, la cuisson d'un blanc d'œuf forme un gel fait d'un réseau de protéines coagulées (la phase solide), où l'eau du blanc d'œuf (90 pour cent du blanc) est emprisonnée. Les terrines et pâtés appartiennent à la même catégorie, puisque les protéines de l'intérieur des fibres musculaires, libérées par le hachage, coagulent à la cuisson. Cet effet est à la base des farces, quenelles, boulettes, flans, crèmes prises... où de la matière grasse en concentration plus ou moins notable s'ajoute à l'eau dispersée dans le solide. J'oubliais le beurre, où une partie de la matière grasse forme un réseau solide, où est dispersé le reste de la matière grasse, à l'état liquide (ainsi qu'un peu d'eau, émulsionnée dans la graisse).

## Des gels et des goûts

Des molécules sapides ou odorantes, présentes en solution, pénétreront un gel de gélatine, par exemple. Ces molécules injectées dans un gel diffusent à une vitesse qui dépend de leur taille, de la température et de la structure du gel : un gel plus ferme, formé de molécules capables de se lier à des molécules d'eau, laissera moins rapidement diffuser des molécules solubles dans l'eau, qui, liées aux molécules d'eau, se lieront temporairement au gel. Cette pacifique invasion sera facilement suivie en injectant des molécules colorées, solubles dans l'eau (un sirop, par exemple) : on verra que la diffusion est d'environ un centimètre par jour, ce qui permet de déterminer le temps nécessaire pour faire venir du goût au cœur d'un gel connecté.

Revenons à la cuisine en observant que le gel sera d'autant plus ferme que la proportion de solide sera plus grande, le solide plus dense et la phase liquide dispersée plus visqueuse. Par exemple, le beurre s'amollit quand la température augmente, parce que la proportion de solide y diminue. Quelle est la concentration minimale de solide nécessaire pour que le gel tienne ? De l'ordre de un pour cent..., ce qui explique pourquoi on peut ajouter de l'eau à de l'œuf pour obtenir néanmoins des crèmes prises. Puisqu'un œuf de 60 grammes contient environ 7 grammes de protéines, on peut ajouter presque 700 grammes d'eau et obtenir encore un gel chimique qui se tienne.

## Une nouvelle sauce

Et notre recette ? Partons d'un jaune d'œuf, lequel contient 50 pour cent d'eau, des graisses et des protéines. L'ajout de beurre fondu, goutte à goutte, à ce jaune d'œuf permet, par dispersion (à l'aide d'un fouet de cuisine, par exemple), d'obtenir une émulsion de beurre fondu dans l'eau du jaune d'œuf; le fouet divise le beurre fondu en gouttelettes de matière grasse que les protéines du jaune d'œuf enrobent et stabilisent.

Au fait, quelle est cette sauce qui est obtenue par dispersion de beurre fondu dans du jaune d'œuf? Ce n'est pas une sauce hollandaise, puisque le jaune d'œuf n'a pas coagulé. C'est une cousine de la mayonnaise, où l'huile a été remplacée par du beurre fondu (la moutarde n'a pas droit de cité dans la mayonnaise, sans quoi on verse dans la rémoulade).

Goûtons : la bouche perçoit d'abord l'eau où la graisse est dispersée, puisque cette eau fait la phase continue ; puis le beurre fondu vient tapisser la bouche en une sensation enveloppante. Un goût d'enfance, de foyer : cette sauce nous l'avons conçue et baptisée *Kientzheim*, de l'alsacien *kind*, l'enfant, et *heim* le foyer. Avec quoi la déguster ? Montez en *Kientzheim*, avec un jaune d'œuf, le beurre « noisette » qui a servi à cuire votre sole meunière (en fredonnant *O sole mio*). Joyeuses fêtes !

CHAPITRE 5

# Comprendre, perfectionner

Comprendre, perfectionner : serions-nous passés en technologie ? La gastronomie moléculaire, qui est une science, entretient une étrange relation avec la technologie culinaire, voire avec la technique. Elle se « nourrit » des phénomènes de la cuisine, prosaïsme qui n'est pas l'égal du péché originel, mais, surtout, les connaissances qu'elle produit sont, pour une raison difficile à comprendre, immédiatement utilisables en cuisine... alors que la science ne veut produire que des connaissances.

Ce cas n'est pas unique. Pierre Potier, le « père » du *Taxotère* (utilisé pour lutter contre le cancer du sein) et d'autres composés anticancéreux, s'était fait une spécialité tout à fait exceptionnelle et admirable d'étude des produits naturels, notamment issus des plantes... qui a débouché sur de nombreuses molécules d'intérêt thérapeutique. Avant lui, le grand chimiste français Michel-Eugène Chevreul, qui souleva un gros coin du grand voile en découvrant la constitution chimique des graisses (les triglycérides), contribua à une rénovation de la fabrication des bougies. Les exemples abondent qui montrent la chimie, la physique (pensons aux transistors) ou la biologie (moléculaire, notamment... mais est-ce vraiment si différent que cela de la chimie ?) passant quasi instantanément de la recherche de mécanismes aux applications.

Dans la partie qui suit, il s'agit de cuisine, mais pas de cuisine à la marge. J'entends qu'il ne s'agit pas de quelques œufs durs mayonnaise que l'on pourrait consommer en entrée, ni de quelques cornichons au vinaigre qui accompagneraient le pot-au-feu. Non, cette fois, nous sommes au cœur de la question culinaire, et aussi au cœur de la question scientifique. Il est question de la couleur des mets, de la cuisson des viandes, des légumes, de la confection des sauces. La science considère une montagne et s'interroge : pourquoi a-t-elle surgi ici, et comment ? La gastronomie moléculaire pose la même question : ces centaines de sauces classiques sont une montagne dont il faut explorer la constitution.

C'est cela, son objet : contribuer à l'intelligibilité du monde... culinaire.

# Cuisine préhistorique

**La cuisson à l'aide de pierres chauffées est possible, et les aliments chauffés sont analysables par les traces qu'ils laissent dans les roches.**

Comment nos ancêtres préhistoriques cuisaient-ils les aliments ? Nombre d'archéologues pensent qu'ils cuisaient certains aliments en les faisant bouillir dans de l'eau où ils déposaient des pierres chauffées au feu. À l'Université de Rennes, Ramiro March et Alexandre Lucquin explorent l'hypothèse du « bouilli par pierres chauffantes » en étudiant les résidus alimentaires laissés sur les pierres de chauffage de l'eau ou les altérations de ces pierres.

Le bouilli par pierres chauffantes était encore pratiqué en Amérique du Nord quand les Européens y sont arrivés, et en Irlande, la technique a subsisté jusqu'au début du siècle. Toutefois, la question est : la technique était-elle déjà utilisée au Paléolithique supérieur ? Depuis un demi-siècle, plusieurs archéologues ont reproduit l'opération afin d'étudier les paramètres et de savoir quelles traces on devrait chercher sur les sites anciens afin d'attester l'emploi de la technique.

En 1954, l'archéologue irlandais M. O'Kelly fut le premier à étudier les structures de combustion de cinq sites anciens, à les reproduire et à démontrer expérimentalement que l'on pouvait faire bouillir de la viande dans les fosses de combustion de ces sites. Dans une fosse de 454 litres, il fit bouillir de l'eau à l'aide de roches présentes sur le site ancien : l'ébullition de l'eau fut atteinte en une demi-heure, puis il parvint à cuire un gigot de mouton (dégusté par l'équipe). Mesurant le volume et le nombre de pierres susceptibles d'avoir été utilisées pour la cuisson de la viande, il calcula le nombre de cuissons qui pouvaient avoir été effectuées sur le site et détermina que, si ce procédé de cuisson avait été celui des occupants du site, ces derniers étaient restés sur place pendant 45 jours. Cependant le raisonnement se fondait sur la possible réutilisation des roches sans altération.

En 1968, M. L. Ryder, inspiré par la recette du haggis, effectua un bouilli dans une panse de mouton. Les panses étaient chauffées par un feu situé à 20 centimètres en dessous, et, dans certaines, il disposait des pierres chauffées dans le feu. Avec cette procédure, les pierres font déborder l'eau du récipient de cuisson : l'ajout successif de pierres que l'on ne retire pas limite le volume que l'on peut chauffer, et beaucoup d'eau est perdue. M. L. Ryder ne démontra pas que cette technique avait été employée.

## Tu es petrus

En 1992, l'archéologue grec P. Pagoulatos étudia les altérations thermiques des roches et les possibilités de réutilisation. Ces altérations sont de trois types : des modifications de la couleur, des fissurations et des fracturations. Toutefois, l'étude n'était pas comparative : pour connaître la réutilisation éventuelle de roches utilisées pour du bouilli, il aurait fallu comparer des roches chauffées plusieurs fois et refroidies dans l'air avec des roches utilisées plusieurs fois pour des bouillis.

R. March et A. Lucquin se sont livrés à cette étude, en même temps qu'ils précisaient les conditions de cuisson par pierres chauffantes. Les premières expérimentations ont porté sur la faisabilité de la technique : durée de chauffage de la roche, volume de roches, température de l'eau, nature des matières premières. Ils ont d'abord observé que le chauffage des pierres est rapide : en dix minutes environ, des pierres placées dans un feu de bois atteignent une température de 600 °C. L'efficacité du procédé dépend peu de la nature des pierres, mais la résistance à l'altération diffère beaucoup selon les roches. Enfin, les archéologues rennais ont observé que les cuisiniers préhistoriques ont dû doser l'ajout de pierres pour éviter le bouillonnement excessif ainsi que les pertes d'eau.

Puis, les chercheurs ont voulu savoir si l'on pourrait reconnaître, à des résidus laissés par une cuisson sur les roches, le type d'aliments qui était consommé par les préhistoriques. Leur première étude a porté sur des épinards cuits à l'aide de blocs de grès de Fontainebleau. Dans les conditions retenues, la cuisson a duré plus de deux heures, puis la roche a été analysée. La microscopie électronique à balayage a révélé des altérations particulières des échantillons de roches réutilisées : le ciment qui lie les grains de quartz, dans le grès, est désagrégé par les variations rapides de température, lors de l'immersion des pierres, et les grains de quartz sont altérés. D'autre part, la couleur des roches est modifiée par la cuisson (alors qu'elle ne l'est pas par le seul chauffage, avec refroidissement à l'air ou dans de l'eau). Cette modification semble résulter des molécules colorantes, d'origine organique, présentes dans l'eau de cuisson. La coloration verdâtre, notamment, correspond apparemment à des restes de feuilles cuites et collées à la surface. D'autre part, des carbonisations ont lieu au contact des zones chaudes des roches.

De telles modifications révéleraient-elles les aliments cuits au Paléolithique ? L'oxydation des composés organiques de surface aurait sans doute détruit les traces, mais les chercheurs ont observé que la couleur du cœur des roches change aussi, en raison de migrations par capillarité des composés organiques : tout espoir n'est pas perdu. En outre, les résidus de dégradations de ces molécules seraient des marqueurs des cuissons préhistoriques.

Les lipides, notamment, sont des molécules qui intéressent les paléo-chimistes, parce qu'elles sont modifiées de manière caractéristique par la cuisson (ces lipides constituent 20 à 30 pour cent de la masse sèche des épinards). Des analyses de pierres utilisées pour la cuisson d'épinards ont révélé que ces molécules sont dégradées par la cuisson, libérant des lipides chimiquement inertes, dont on a beaucoup étudié la dégradation (dans les centres de pétrochimie). Les archéologues rennais ont observé sur les roches une forte proportion de la molécule d'undécane, qui serait un bon traceur des cuissons.

L'analyse chimique révélera-t-elle bientôt ce que mangeaient les hommes il y a plusieurs centaines de milliers d'années ?

# Pratiques attendrissantes

**La congélation du calmar, comme celle du bœuf, attendrit sa chair.**

La chair laiteuse du calmar inspire au cuisinier de l'inquiétude : parviendra-t-il à éviter son durcissement excessif à la cuisson ? En conséquence, les cuisiniers se livrent parfois à des pratiques douteuses. Certains proposent d'attendrir le calmar, soit en le cuisant dans une eau où flotte un bouchon de liège, soit en le pressant entre deux planches de bois dans un étau, soit en le trempant dans des boissons gazeuses, soit en le congelant pendant deux heures, puis en le martelant sur le plan de travail.

La dernière pratique semble intéressante ; à l'Université de Yamaguchi, M. Ando et M. Miyoshi ont exploré les effets de la congélation et de la surgélation. L'intérêt des Japonais pour la tendreté du calmar n'est pas surprenant : c'est l'invertébré le plus consommé dans le pays.

## Des cristaux dans les cellules

On sait que la surgélation et la congélation des aliments modifient leur consistance. En 1988, au Centre INRA de Clermont-Ferrand, J.-D. Daudin a étudié la formation des cristaux de glace dans les chairs des animaux. Ces chairs sont les tissus musculaires, faits de fibres musculaires, jointes en faisceaux par un tissu composé de collagène. Les fibres musculaires sont des cellules dont le diamètre est compris entre 10 à 100 micromètres, et dont la longueur atteint plusieurs centimètres. Le collagène est principalement responsable de la dureté des chairs.

Quand on refroidit la viande à des températures inférieures à la température de solidification de l'eau (0 °C), des cristaux de glace apparaissent d'abord entre les cellules, puis à l'intérieur de ces dernières. Pourquoi ? Parce que les molécules en solution diminuent la température de congélation d'une solution ; cet « abaissement cryométrique » est celui qui est mis en œuvre dans les radiateurs des automobiles où l'antigel limite le phénomène d'agrégation des molécules d'eau en cristaux de glace. Comme la concentration en solutés est inférieure dans les fluides intercellulai-

res, cet abaissement est moins important et les cristaux apparaissent d'abord entre les cellules. À ce phénomène qui se produit lors de la congélation des produits s'ajoute une évolution des cristaux : les petits cristaux disparaissent progressivement au profit des gros. Cette destruction des liaisons entre fibres améliore la tendreté.

## Le calmar japonais, comme le bœuf

La chair de calmar se comportait-elle comme la viande de bœuf? En 1994, M. Kugino et K. Kugino avaient montré que la congélation du calmar améliorait sa tendreté : le calmar congelé s'attendrissait plus à la cuisson que le calmar non congelé. Ils avaient également observé que l'effet de la congélation était supérieur sur la chair non cuite que sur la chair cuite.

Peu après, les chercheurs américains D. Stanley et H. Hultin montraient que cette observation ne valait que pour les calmars japonais *Todarodes pacificus* et que, au contraire, la chair du calmar congelé de l'Atlantique durcissait ! On a évoqué, pour expliquer le phénomène, la formation de formaldéhyde dans la chair congelée, formaldéhyde qui aurait renforcé les liaisons entre les molécules de protéines et durci les chairs.

La conclusion est que les conditions de la congélation sont déterminantes. Récemment M. Ando et M. Miyoshi ont repris l'étude de la dureté des chairs de calmars communs japonais qu'ils congelaient une journée après la pêche. Les études ont montré que l'attendrissage a lieu surtout durant les trois premiers jours de congélation et que le calmar n'est pas si différent du poisson : la congélation fait apparaître le même type de comportement mécanique.

## Cellules endommagées

Les chercheurs japonais ne se sont pas limités à la mesure des caractéristiques mécaniques ; ils ont également analysé le liquide qui suinte des chairs décongelées, et montré que la quantité de ce liquide augmente notablement, non seulement pendant les premiers jours, mais aussi pendant le mois qui suit. Ce phénomène résulte sans doute de l'endommagement progressif des fibres musculaires par les cristaux de glace : cet endommagement laisserait « fuir » les fibres musculaires.

Enfin l'analyse de la structure, au microscope, a montré que les fibres musculaires se séparent progressivement, quand la congélation se prolonge : les cristaux de glace se forment entre les cellules, ils les séparent, et déstructurent les chairs ; leur croissance, enfin, conduit à un endommagement cellulaire qui laisse suinter des liquides.

Donc la recette qui consiste à congeler le calmar pour le battre ensuite a ses vertus. Notons que la pratique qui est de battre pour obtenir la tendresse – plutôt que la tendreté – avait eu, dans d'autres domaines, ses disciples et ses prosélytes.

# Cinq par jour !

**Quelques considérations pour manger avec plaisir les légumes en leur donnant du goût.**

Nous devrions, affirment les spécialistes, consommer au moins cinq légumes et fruits par jour pour risquer moins les cancers et les maladies cardio-vasculaires. Volontiers, mais comment préparer les légumes ? Contrairement à ce que prétendent les lamartiniens bucoliques férus d'une nature idyllique, il n'est pas vrai que les mets sont bons quand ils ont le goût de ce qu'ils sont : la cuisine s'évertue, au contraire, à transformer le goût des aliments, et le cuisinier assainit, change la texture (attendri ou, au contraire, donne de la fermeté) et donne du goût.

Sans l'assainissement, nous serions contaminés par les parasites de la viande de porc ou par la douve du foie, présente sur le cresson. Le lavage élimine une partie des micro-organismes qui contaminent les aliments, le parage supprime des parties amères ou toxiques : la peau de la pomme de terre contient ainsi la solanine, un alcaloïde toxique qu'il est dangereux de consommer en grande quantité. Pendant la cuisson, les micro-organismes, portés suffisamment longtemps à une température suffisante, sont tués.

## Conduction lente pour matériaux isolants

Ce chauffage peut s'effectuer par conduction, les légumes étant placés sur un solide (au fond d'une casserole ou d'un récipient chauffé), dans un liquide (solution aqueuse ou huile), ou dans une enceinte contenant un gaz chaud (four). Les légumes étant majoritairement composés d'eau, la conduction est lente, et le légume risque d'être brûlé au contact du solide chaud avant que le reste soit suffisamment chauffé. D'où l'intérêt des fluides chauds, qui s'immiscent dans toutes les anfractuosités : air chaud, eau bouillante, huile chaude. Notons que ce chauffage a l'intérêt simultané d'inactiver les enzymes qui donneraient des couleurs peu appétissantes. Le passage à l'eau élimine aussi diverses molécules âcres ou astringentes, éventuellement toxiques, et il inactive des molécules comme les lectines, qui sont des anticoagulants dangereusement présents dans les haricots, fèves et lentilles...

## Parois cellulaires affaiblies

La consistance est modifiée par des actions physiques et chimiques. Tout d'abord, une masse végétale dure peut être divisée et rendue plus facilement assimilable.

La chimie a d'autres armes. Les cellules végétales étant enveloppées par une paroi résistante, faite (essentiellement) de celluloses et de pectine, on gagnera à attaquer cette paroi et, surtout, à désagréger le ciment intercellulaire. La chaleur a une telle action, mais d'autres possibilités s'offrent. Par exemple, le cuisinier du XXIe siècle peut utiliser des enzymes nommées pectinases, qui dégradent les pectines. Il peut aussi ajouter un composé basique (du bicarbonate de sodium, par exemple) à son eau de cuisson afin de faire perdre leur atome d'hydrogène aux groupes acides carboxyliques (–COOH) des molécules de pectine, ce qui les met sous la forme électriquement chargée (–COO⁻), d'où des répulsions qui favorisent l'attendrissement des légumes. Il peut aussi utiliser des complexants du calcium : cet ion divalent ponte les pectines, de sorte que, en le captant, on évite ce pontage, et l'on attendrit le légume.

Le cuisinier peut provoquer une osmose qui amollit le légume : le trempage dans du sel fait perdre le croquant d'un concombre, tout comme le trempage dans de la sauce de soja, du sucre, un acide (jus de citron ou d'autres fruits, vinaigre, bière, vin…) ou un alcool modifie la turgescence.

## Le fantasme du cru

Enfin se pose le problème essentiel du goût. Contrairement à une idée trop propagée, la cuisson à la vapeur ne préserve pas le goût des aliments : il est impossible d'avoir le goût des légumes crus autrement qu'en les croquant intacts. Les couper rompt les cellules, ce qui met en présence des enzymes végétales et leurs substrats, qu'elles attaquent. Le mieux que le cuisinier puisse faire est de cuire les légumes dans une émulsion (crème ou autre), comportant de la matière grasse et de l'eau : les molécules odorantes ou sapides solubles dans l'eau se dissoudront dans l'eau, tandis que les molécules odorantes ou sapides insolubles dans l'eau se répartiront dans la matière grasse.



Les cuisiniers gagneraient à utiliser la chimie pour ce qu'elle peut donner : ainsi les caramélisations font intervenir les sucres que les végétaux contiennent en proportions notables. Il suffira de chauffer le jus de légumes afin d'éliminer l'eau et de porter les légumes à une température suffisante pour que se fasse la caramélisation du sucre de table, du saccharose, et des sucres présents (glucose, fructose, ou inuline dans les oignons, la chicorée, les asperges…). Les réactions de Maillard, d'autre part, s'obtiendront si le cuisinier ajoute les acides aminés nécessaires en trempant les légumes avant cuisson dans une solution concentrée en gélatine, en blanc d'œuf, en jus de viandes ou de poissons ; puis les légumes seront chauffés comme pour une sorte de laquage. C'est ce que je nomme la réalisation de « demi-glaces de légumes ».

De nombreuses possibilités donnent des goûts nouveaux : n'hésitez pas à passer quelques carottes à la centrifugeuse, puis à chauffer très doucement et très longuement le jus épais que vous recueillerez : par ce moyen, le cuisinier français Pierre Gagnaire obtient un résultat étonnant et délectable…

# Le vert des haricots

**Les métaux qui constituent les ustensiles de cuisson contribuent à faire des haricots bien verts, donc qui apparaissent très frais.**

La verdeur des haricots verts est appétissante : comment la conserver ? Sur le sujet, les tours de mains non scientifiquement testés abondent. Ainsi, en 1896, le cuisinier parisien Paul Friand écrit : « Pour conserver la teinte verte des haricots. Il faut bien se garder de couvrir la casserole. Un tout petit morceau de bicarbonate mis en même temps que les haricots conserve la couleur verte. » Dans son best-seller publié en 1925, Madame Saint Ange propage une autre tradition : « Si l'on veut conserver la teinte bien verte des haricots, il faut, comme en grande cuisine, employer un ustensile en cuivre rouge non étamé. L'étain décompose le principe chimique de la couleur verte. »

Les idées empiriques sur l'effet des acides et des métaux ont encore cours. Paul Bocuse écrit : « Pour maintenir leur couleur verte, on utilise un récipient si possible en cuivre, ce métal ayant la propriété de raviver la chlorophylle. » Alain Ducasse conseille de « ne pas mélanger les haricots à la vinaigrette par avance ; la vinaigrette altérerait leur couleur ».

Les chimistes du Centre de recherche *Nestlé*, à Vers-chez-les-Blancs, ont mis au point une méthode pour analyser les modifications des chlorophylles et de leurs dérivés lors des transformations des végétaux ; ils ont identifié l'effet de certains sels métalliques sur la couleur de ces derniers.

La couleur verte des végétaux est notamment due aux molécules de chlorophylles des cellules végétales. Quand la lumière blanche éclaire les haricots, les molécules de chlorophylles absorbent certains rayonnements visibles, donnant la couleur verte. Les chlorophylles doivent leurs propriétés d'absorption lumineuse à leur structure chimique : au centre d'un noyau nommé porphyrine, quatre atomes d'azote entourent un atome de magnésium. Ces atomes d'azote appartiennent à un groupe de cycles hydrocarbonés, comme dans l'hémoglobine (dans l'hémoglobine, qui rend le sang rouge, le centre de la molécule est occupé par le fer plutôt que par le magnésium).

Le chimiste repère les possibilités de réaction chimique qui changeraient la couleur de telles molécules : en milieu acide, l'atome de magnésium central est facilement remplacé par des atomes d'hydrogène. C'est ce qui se produit quand les haricots sont cuits en présence d'un acide, et, sans doute, quand ils trempent trop longtemps dans une vinaigrette : les chlorophylles sont transformées en un composé nommé « phéophytine », qui confère aux haricots une peu appétissante couleur jaune-

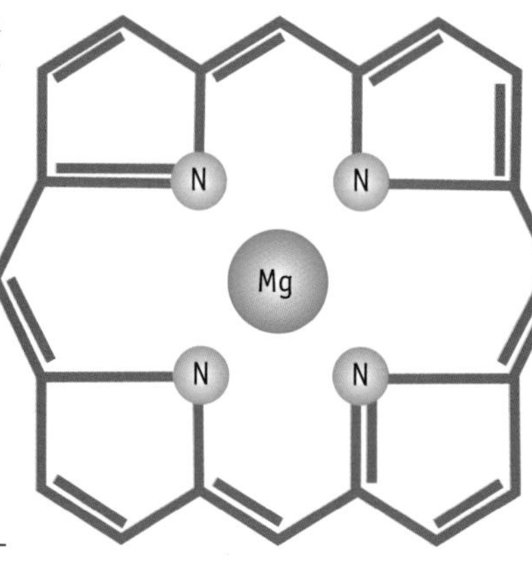

brun. L'ajout de bicarbonate, en rendant la solution basique, c'est-à-dire moins concentrée en ions hydrogène, évite le jaunissement.

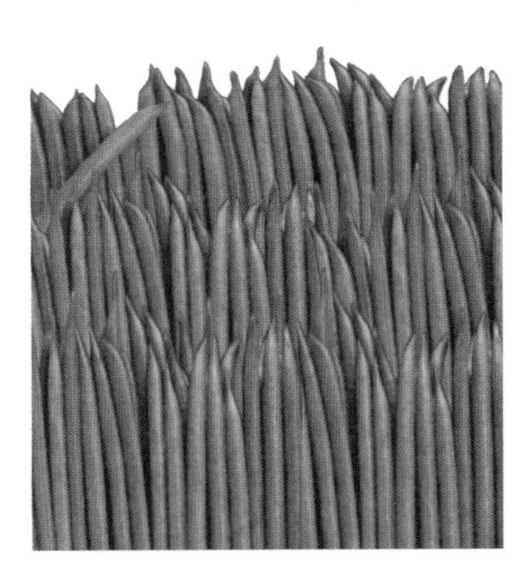

Ce même atome de magnésium peut être remplacé par d'autres métaux, comme l'avaient observé les cuisiniers qui utilisaient des « bassines à reverdir », où le cuivre substitué au magnésium conférait aux haricots une « fraîche » couleur verte. L'industrie alimentaire du XIX<sup>e</sup> siècle utilisait du sulfate de cuivre pour éviter le jaunissement de la mise en conserve, mais le traitement fut interdit en raison de la toxicité du cuivre.

La dégradation des chlorophylles lors de la cuisson des végétaux est un problème industriel : comme les consommateurs jugent la fraîcheur des végétaux à leur couleur, de nombreuses équipes se sont attachées à étudier la stabilité des molécules de chlorophylle et cherché d'autres adjuvants que le cuivre : le fer ou l'étain donnent une coloration gris-brun, mais le zinc donne une belle couleur verte. Ainsi, dans le brevet intitulé *Veri-Green*, les haricots sont préalablement « blanchis », c'est-à-dire chauffés brièvement, de sorte que soient inhibées les enzymes qui dégraderaient les chlorophylles, puis ils sont cuits en présence de sels de zinc. On a attribué l'efficacité du procédé à la formation de complexes de zinc plus résistants aux acides et à la chaleur que les complexes du magnésium.

L'avènement des méthodes modernes d'analyse, telle la chromatographie liquide haute performance couplée à la spectrométrie de masse, a amélioré les études de ces complexes.

A. Gauthier-Jacques et ses collègues du Centre de recherche de Vers-chez-les-Blancs ont ainsi étudié des épinards, dont les pigments étaient extraits. La première étape de leur analyse, la chromatographie en phase liquide, est un perfectionnement de cette expérience de lycée qui consiste à broyer des feuilles et à déposer une goutte du broyât au bas d'un papier filtre que l'on fait tremper par sa partie inférieure dans un solvant organique, tel l'éther de pétrole : en montant, ce dernier sépare les différents pigments parce qu'il les entraîne à des vitesses différentes, qui dépendent de leur taille et de leur solubilité dans le solvant. Dans une chromatographie liquide, le principe est identique, mais les produits sont entraînés dans une colonne. La spectrométrie de masse, derrière la colonne de chromatographie, révèle la masse des molécules séparées.

L'analyse a ainsi révélé plus de 25 composés dérivés des chlorophylles résultant du chauffage : à côté des chlorophylles figuraient les phéophytines, où, comme on l'a vu, l'atome de magnésium est perdu. Les autres composés dérivaient des premiers par perte d'une partie plus ou moins importante de la molécule.

L'analyse montre surtout comment le zinc interagit et stabilise les divers dérivés des chlorophylles. Dotés d'un tel outil, les chimistes pourront préciser les conditions de cuisson optimale des haricots verts. Les cuisiniers, eux, sauront qu'ils ont raison d'éviter les longues cuissons, l'étain, le fer et les acides.

# Le goût du poulet rôti

**Ce goût change avec la température de cuisson. Si vous voulez stocker les viandes et éviter ensuite le « goût de réchauffé », cuisez-les à haute température.**

Le poulet rôti, quoi de plus simple : on prend un poulet, on l'embroche et on le chauffe fortement. Sa peau croustille, sa graisse fond, des jus tombent et la chair prend un goût remarquable. Soit, mais quel goût ? Derek Byrne et ses collègues de l'Université royale vétérinaire et agronomique du Danemark ont montré que le goût du poulet rôti dépend beaucoup de la température de rôtissage.

Les chimistes danois s'intéressaient initialement au goût de réchauffé des viandes : les produits réchauffés après une période de conservation au froid acquièrent une odeur dite de réchauffé, étudiée dès la fin des années 1960. Le sujet est resté en sommeil jusque dans les années 1980, où il fut alors justement attribué au phénomène d'« autoxydation », autrement dit de rancissement, des graisses.

## Une réaction en chaîne : le rancissement

Cette réaction d'autoxydation est un cas d'école, en chimie : elle fait intervenir des radicaux libres, c'est-à-dire des molécules réactives parce qu'un de leurs électrons n'est pas apparié. La formation d'un de ces radicaux engendre de nouveaux radicaux, ce qui propage la réaction et conduit à un rancissement rapide, surtout quand il est catalysé par le fer, omniprésent en cuisine (casseroles et sang des viandes).

Les graisses qui s'oxydent le plus dans les viandes sont les phospholipides composant les membranes cellulaires : ces molécules comportent des « insaturations », c'est-à-dire des parties où les atomes de carbone du squelette moléculaire sont liés par des doubles liaisons. Ces insaturations déterminent leur oxydabilité, laquelle augmente, pour les tissus animaux, de l'agneau au poisson, en passant, dans cet ordre, par le bœuf, le porc, les volailles. À cette autoxydation des graisses s'ajoutent les réactions dites de Maillard qui modifient les protéines, provoquent la disparition des arômes de viande au profit d'arômes de grillé.

On sait depuis 15 ans environ que les cuissons à haute température (plus de 100 °C) inhibent l'apparition du goût de réchauffé, parce que les mélanoïdines, composés bruns formés lors des réactions de Maillard, ont des propriétés anti-oxydantes. Le mécanisme de ces effets restait toutefois mal connu.

D. Byrne, W. Bredit et M. Martens, au Danemark, avec David Mottram, à Bristol, se sont partagés le travail, en conduisant à la fois des analyses sensorielles et chimiques de viandes (des suprêmes de volaille) diversement cuites (160 °C, 170 °C, 180 °C, 190 °C) et stockées plus ou moins longtemps (entre un et quatre jours), avant d'être recuites pendant un temps précis à 140 °C. Pour les analyses des odeurs, les jurys ont établi, puis utilisé, une liste de « descripteurs » : carton, huile de lin, caoutchouc/soufré, odeur de poulet, rôti, rance, huile végétale, noix… Pour les saveurs, ils

s'en sont tenus à sucré, acide, amer, salé, *umami*, métallique. En parallèle, les produits étaient analysés chimiquement.

## Les coupables identifiés

Les corrélations des sensations avec les paramètres expérimentaux ont montré que les odeurs de carton, d'huile de lin, de caoutchouc/soufré et de rance augmentent avec la durée de conservation au froid, mais ce sont les viandes cuites aux plus basses températures qui présentent le plus ce défaut. L'odeur de viande et le goût de viande varient à l'inverse. L'odeur et le goût de grillé augmentent avec la température de cuisson, mais – c'est là une découverte qui intéressera les cuisiniers les plus précis – des goûts différents résultent de cuissons à différentes températures. Par exemple, les viandes sont plus amères et astringentes quand elles sont cuites à haute température.

Les composés responsables de ces goûts et odeurs ont été identifiés. La plupart ont pignon sur rue chimique : ils étaient répertoriés parmi les produits d'oxydation des graisses ou parmi les produits des réactions de Maillard. Comme on l'attendait, les produits d'oxydation ont été trouvés en quantités supérieures pour les échantillons de poulet conservés le plus longtemps au froid. Les chimistes ont noté l'effet bénéfique des molécules portant un groupe « thiol » (un atome de soufre lié à un atome d'hydrogène) : ces molécules s'oxydent facilement, agissant donc comme des antioxydants, tout comme certains produits des réactions de Maillard.

On recherche aujourd'hui à approfondir les mécanismes de ces effets, mais on a là une nouvelle réfutation d'une mode naturaliste contestable, qui stipule que le cru serait bon pour la santé : non seulement la cuisson tue les micro-organismes présents à la surface des viandes, ainsi que les parasites présents à l'intérieur, mais elle lutte contre les oxydations... et donne, de surcroît, un goût délicieux aux viandes grillées.

# Peu d'échanges

**Les molécules odorantes des liquides de cuisson entrent moins qu'on ne le croit dans les viandes.**

On cuit souvent les viandes dans un liquide goûteux (daubes, ragoûts, braisés) en espérant que les molécules conférant le goût pénétreront dans la chair. Les livres de cuisine invoquent l'« osmose », pour expliquer l'échange de « principes » cédés par le liquide de cuisson et gagnés par les chairs. Cette hypothèse optimiste tient-elle ?

Observons tout d'abord que la théorie est peu physique : si l'on assimile la surface de la viande à une membrane semi-perméable, l'usage d'un liquide de cuisson concentré ferait plutôt sortir l'eau de la viande qu'entrer les grosses molécules odorantes dissoutes dans l'environnement des chairs. D'autre part, l'observation renforce le doute : une viande plongée dans un liquide de cuisson se contracte, l'eau de l'intérieur des chairs étant rejetée dans le liquide, ce qui semble interdire l'entrée de molécules odorantes autrement que par diffusion.

## La viande, une éponge que presse la chaleur

Pourquoi cette contraction ? Parce que la viande est faite de cellules allongées, les fibres musculaires, de plusieurs dizaines de centimètres. Ces fibres sont gainées d'un tissu dur, fait de collagène : ce dernier est une protéine, dont les molécules s'assemblent spontanément en triples hélices, lesquelles s'organisent en un « tissu » – ou plutôt un feutre – fait de protéines jointives. Ce tissu, qui gaine individuellement les cellules musculaires, les réunit aussi en faisceaux, lesquels sont assemblés en faisceaux d'ordre supérieur, et ainsi de suite jusqu'à former les muscles. Ce tissu collagénique donne sa cohérence aux chairs, et confère sa dureté à la viande (les chairs de poissons qui contiennent peu de collagène sont tendres).

Au début de la cuisson d'une viande, entre 55 et 70 °C, les fibres de collagène se contractent et la viande se rétracte jusqu'aux trois quarts de sa longueur initiale. L'eau contenue dans la viande est chassée, comme si l'on pressait une éponge. C'est ce que confirme la pesée d'une viande de bœuf quand on prépare du bouillon : le poids de la viande diminue par la perte de l'eau. Or si l'eau est chassée, il y a bien peu de chances que du liquide de cuisson puisse entrer dans les chairs... Toutefois, lors d'une cuisson longue, le collagène finit par se dissoudre dans l'eau, formant la gélatine, et la contraction cesse : quand le collagène se déstructure, le liquide de cuisson pourrait-il entrer dans la viande ?

Comment tester ces hypothèses ? Un colorant suffit presque : on place un cube de viande dans un liquide où l'on a dissous un colorant fluorescent, et l'on suit la pénétration du colorant dans la chair… Après 20 heures de cuisson, très peu de colorant est entré (voir le dé de viande de la figure où le colorant est en jaune).

Il se pourrait que le colorant soit en concentration indétectable à l'œil nu, mais supérieure aux concentrations détectables au goût : certaines molécules odorantes, en concentrations trop faibles pour que l'on puisse les identifier chimiquement, sont olfactivement prépondérantes.

## Rien n'entre, tout sort

Aussi des dosages précis s'imposent. La spectrofluorimétrie qui détecte avec une grande sensibilité la présence de colorant dans les viandes révèle, évidemment, que les diverses viandes ont des comportements différents à la cuisson et que la présence du colorant dépend de la nature des viandes. Cela s'explique naturellement par le fait que les teneurs en collagène diffèrent. Certaines viandes se défont lors de la cuisson, parce que le collagène est dissous et le liquide de cuisson pénètre. La viande prend alors le goût du liquide.

En revanche, pour des viandes telles que le jumeau, qui ne se défont pas lors de la cuisson, la spectrofluorimétrie ne détecte pas de colorant fluorescent à quelques millimètres sous la surface de la viande, même après des cuissons de plusieurs dizaines d'heures : pour ces viandes, il est vain de vouloir les parfumer à cœur en les cuisant dans un liquide parfumé.

Une solution ? Deux, plutôt. D'une part, une seringue sera très efficace et rapide pour insérer les molécules au cœur de la viande. D'autre part, la viande coupée en minces lamelles, comme dans la fondue chinoise, s'imbibe mieux des molécules odorantes du bouillon.

# Poète, prends ton lut

**Le lutage des cocottes ne prévient l'évaporation et la « perte des arômes » que si la température du liquide est proche de celle de l'ébullition.**

Poulettes pattes noires en cocotte lutée... Les poulettes sont préparées, mises en cocotte avec une garniture aromatique ; puis, le couvercle posé sur la cocotte est « hermétiquement » soudé à celle-ci par un cordon de pâte, faite de farine et d'eau. Les cuisiniers imaginent que les « arômes » sont recyclés dans l'espace clos de la cocotte, de sorte qu'ils viennent imprégner les chairs. Puis, lors du service, quand le maître d'hôtel casse le cordon de pâte durci, les convives sont inondés d'un flot d'odeurs. Il y a du spectacle, dans l'usage du lut, mais les molécules odorantes sont-elles véritablement piégées ? Réservons la question de l'imprégnation des chairs pour une autre fois et déterminons, ici, si le lutage retient effectivement les molécules odorantes.

« La sagesse, dit le philosophe Alain, remet en question des choses connues et reçues, et doute par principe en vue de s'assurer mieux. » Foin du rêve du cuisinier ou du gourmand, doutons de l'efficacité du lut, et expérimentons. Le test le plus simple consiste à comparer deux cocottes identiques, lutées ou non. Au laboratoire, nous remplacerons les cocottes par des béchers en verre gradués, et les couvercles par des verres de montre ou par des soucoupes de tasse à café. Sur l'un des béchers, posons seulement le « couvercle » ; sur l'autre, lutons, c'est-à-dire soudons le couvercle au bécher par un lourd cordon de pâte, faite de farine travaillée avec de l'eau. Dans la même lancée, comparons ces deux béchers à un troisième bécher laissé ouvert. Dans les trois béchers, plaçons un même volume d'eau *(voir la photographie ci-dessous)*. Puis introduisons les trois béchers dans un four à la température de 180 °C, par exemple (une température habituelle pour la cuisson des poules et poulets).

Suivons alors les variations du niveau de l'eau dans les béchers au cours du temps. On voit que l'eau s'évapore plus vite dans le bécher non couvert... mais aucune différence n'apparaît entre les béchers avec couvercle posé, et avec couvercle luté. Le lut serait-il une beauté culinaire inutile ? Les

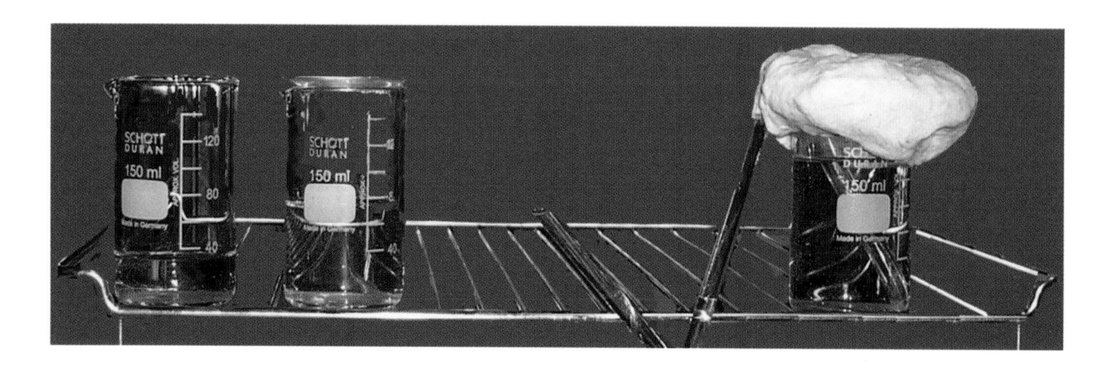

cuisiniers confrontés aux résultats de cette expérience qui met leur savoir en question argumentent, critiquent l'expérience, reprochent aux béchers de ne pas être des cocottes… mais seuls les plus au fait des arcanes techniques font valoir que l'expérience réalisée ne vaut rien, parce que les conditions d'usage du lut n'ont pas été respectées : les livres de cuisine ne le disent pas, mais la transmission orale l'affirme, le lut n'est utile que pour les cuissons longues, à température modérée.

Modérée de combien ? Donnons à la cuisine le bénéfice du doute, et reprenons l'expérience en plaçant les trois mêmes béchers à la température de 110 °C. Cette fois, l'eau s'évapore différemment dans le bécher simplement couvert et dans le bécher couvert et luté : ce dernier retient toute son eau, même après quatre heures de cuisson. La tradition culinaire est dans le vrai : si le lut retient la vapeur d'eau, il retient aussi les molécules odorantes que cette vapeur aurait entraînées.

Comment corroborer ces résultats ? Si l'eau est retenue dans le bécher luté, alors qu'elle s'évapore, l'intérieur du bécher couvert et luté doit être sous pression. Mesurons la pression en modifiant un peu le système : n'importe quel chimiste amateur peut utiliser une petite lampe à alcool pour couder un tube de verre en *Z* : couché, ce tube est plongé dans l'eau d'un bécher, et le tube en *U* qui dépasse du bécher est alors empli d'un liquide (qui ne s'évapore pas : de l'huile, par exemple). Le couvercle est posé sur le bécher garni de son tube, puis luté. L'ensemble est placé dans un four réglé à la température de 110 °C. Le liquide dans le tube en *U* est alors poussé par la vapeur formée : ainsi mesure-t-on la pression dans le bécher luté et voit-on que la pression augmente progressivement, à mesure que la cuisson s'opère.

La science n'est pas accumulation de mesures, mais exploration des mécanismes. Comment le lut confine-t-il la vapeur d'eau ? Il existe plusieurs sortes de lut, mais les plus couramment prescrits sont les plus rudimentaires : ils sont faits de farine et d'eau. Le travail de la pâte provoque la formation d'un réseau de protéines, le gluten, qui piège les grains d'amidon ; ainsi la pâte devient-elle « viscoélastique », c'est-à-dire un peu visqueuse (elle coule difficilement) et un peu élastique (en raison du réseau de gluten). Chauffée, cette pâte sèche en surface, tandis que l'amidon absorbe l'eau et s'empèse ; les grains d'amidon se soudent.

Quand la pâte sèche rapidement, comme dans la cuisson à la température de 180 °C, elle se contracte en surface (elle sèche), tandis que son cœur est encore humide. Des fissures apparaissent dans la croûte par où la vapeur d'eau formée dans le bécher s'échappe. En revanche, quand on chauffe doucement, le séchage est plus homogène, et l'ensemble du cordon de pâte se contracte, sans se fissurer. La vapeur est retenue.

La conclusion culinaire ? Le lut est un bon moyen de retenir la vapeur et les molécules odorantes des mets, mais les livres de cuisine seraient avisés de n'en recommander l'usage qu'aux températures peu supérieures à celles de l'ébullition de l'eau, car la pression augmente vite avec la température interne $T$, comme la puissance quatrième du quotient $T/100$.

# Donner du goût...

**...à un bouillon, une sauce, un œuf, une viande ?**

Les molécules odorantes sont hydrophobes et volatiles. Comment parfument-elles alors l'eau des bouillons, des jus et des sauces ? Cette question résume toute la cuisine : la viande, le poisson, les légumes, les fruits, les œufs étant majoritairement composés d'eau, comment y introduirons-nous des molécules odorantes pour leur donner du goût ?

On sait que le goût n'est pas réduit à l'odeur : la saveur est importante, ainsi que les perceptions procurées par le nerf trijumeau (qui détecte notamment le « frais » de molécules telles que le menthol de la menthe) ou par les capteurs mécaniques ou thermiques. Même si un bouillon ne contient pas de molécules odorantes, il peut avoir du goût. Reste que la composante olfactive du goût est importante : le savent bien les mangeurs enrhumés.

## Solubilités minimes... mais réelles

Par chance les molécules odorantes (les autres aussi) ne sont pas complètement insolubles et on les caractérise par un coefficient de partage (log *P*) entre deux phases, par exemple de l'eau et de l'octanol (un cousin de l'alcool habituel). Les deux composés forment des phases séparées, bien qu'une partie de l'eau se mêle à l'octanol (et inversement). Quand on ajoute une molécule à ce système, elle se répartit entre les deux phases : le nombre log *P* est le logarithme du quotient de la concentration dans l'octanol par la concentration dans l'eau. À chaque molécule son log *P*, positif si la molécule se dissout davantage dans l'octanol que dans l'eau, négatif dans le cas inverse. Ainsi la vanilline qui se répartit 50 fois plus dans l'octanol que dans l'eau a un log *P* égal à 1,7.

Une molécule, même un peu hydrophobe, se dissoudra partiellement dans l'eau d'un bouillon, et comme les molécules odorantes sont souvent actives en concentration infime, l'effet sera perceptible. Mieux encore, quand l'eau est salée, le sel réduira la solubilité de la molécule odorante, ce qui contribuera à la faire passer en phase vapeur : le mangeur la sentira mieux.

## Le goût de l'eau

Il existe toutefois d'autres méthodes pour donner du goût à de l'eau. Par exemple, pour peu qu'une molécule odorante plutôt hydrophobe ait été dissoute dans de l'huile, on peut alors disperser cette huile dans l'eau, afin de former une émulsion. Cette émulsion est, hélas, temporaire, car divers phénomènes, notamment un crémage des gouttelettes de matière grasse, font remonter l'huile en surface. Peut-on faire plus stable ? Les lecteurs de ce livre sont invités à tirer parti de leurs loisirs pour faire l'expérience suivante : dissolvons une goutte d'huile dans de l'éthanol (l'alcool habituel), puis versons cette solution dans de l'eau. L'eau se trouble, par le même effet

que lorsqu'on ajoute du Pastis à de l'eau. Initialement, seule la partie supérieure de la solution est trouble *(voir la photographie a ci-dessus)*, mais, lentement, le trouble diffuse dans la totalité de l'eau. Ce trouble est une dispersion de gouttelettes d'huile dans l'eau. Au lieu d'huile, sans grand intérêt gustatif, nous aurions pu faire la même expérience en dissolvant initialement dans l'alcool une solution d'une molécule odorante dans l'huile, ou une molécule odorante pure qui envahit ainsi l'eau grâce à l'alcool.

## Un centimètre par jour

Mettre des molécules odorantes dans l'eau est une première étape, qui résout la question des bouillons, des fonds et des sauces. Pourrait-on poursuivre le raisonnement et introduire des molécules odorantes dans les viandes, les poissons ou les légumes?

Nous avons vu page 92 *(Peu d'échanges)* que les molécules odorantes et sapides présentes dans les bouillons entrent peu dans les viandes, parce que la cuisson les presse comme des éponges. En revanche, l'immersion d'un œuf dur dans une solution d'un colorant fluorescent soluble dans l'eau (et donc dans l'eau, puisque le blanc est fait de 90 pour cent d'eau) montre une lente pénétration du colorant dans l'œuf, tout comme la diffusion d'un colorant hydrosoluble dans un gel de gélatine (voir les photographies *b* et *c* où du bleu de méthylène diffuse dans un gel). Évidemment, plus le gel contient de gélatine, et plus la diffusion est lente: aussi faut-il comparer les deux extrêmes, qui seraient, d'une part, l'eau pure, où la diffusion est rapide et, d'autre part, la gélatine pure, où la diffusion n'a pas lieu. Les cuisiniers savent donc donner du goût aux aliments par macération: ils doivent seulement savoir que la diffusion des molécules sapides et odorantes sera limitée à environ un centimètre par jour.

Pour les gens pressés, il y a le recours possible à la seringue rempli d'un liquide gouleyant et à consommer avec modération, qui introduira les molécules odorantes au cœur des aliments. Ces « intrasauces », bien étudiées dans les années 1920 par le docteur M. Gauducheau... et largement utilisées par les charcutiers, tranchent le nœud gordien de la solubilité.

# Cardinalisation

**Pourquoi la carapace du homard rougit à la cuisson et pourquoi l'étude du rougissement est intéressante en cuisine.**

Le homard promené en laisse par Gérard de Nerval était bleu, car vivant. Celui du téléphone de Salvador Dali était orange, car cuit. Michèle Cianci et ses collègues de l'Université de Manchester ont percé le secret de ce changement de couleur et expliqué pourquoi l'écrevisse et le homard « cardinalisent à la cuite », comme le disait Grimod de la Reynière au XVIII$^{e}$ siècle.

Il y a une vingtaine d'années, on avait découvert que le pigment rouge du homard, l'astaxanthine, prend une couleur bleue dans la carapace du homard non cuit, parce qu'il est lié à une protéine. On supposait que la cuisson séparait les deux partenaires de ce complexe, libérant le pigment, qui reprenait sa couleur naturelle rouge. Toutefois cette explication repoussait la question : pourquoi la liaison du pigment à la protéine modifiait-elle l'absorption de la lumière ? Les chimistes ont mis un terme à cette quête : ils ont extrait le complexe formé de la protéine et du pigment et analysé les interactions des deux partenaires par cristallographie aux rayons X.

L'astaxanthine de la carapace des homards est un caroténoïde : c'est un cousin des caroténoïdes qui donnent leurs couleurs orange et rouge aux carottes et aux tomates. Au centre des molécules figure une longue chaîne d'atomes de carbone qui sont liés, une liaison sur deux, par une liaison double. De ce fait, les électrons des doubles liaisons sont « conjugués » : au lieu d'être localisés entre deux atomes de carbone particuliers de la chaîne, ils se répartissent sur toute la chaîne. Moins liés aux atomes de carbone, ces électrons peuvent absorber des photons (grains de lumière) de faible énergie, c'est-à-dire de grande longueur d'onde, dans le rouge.

Les chimistes continuaient de s'interroger : pourquoi la liaison de l'astaxanthine à une protéine n'aurait-elle pas eu l'effet inverse, de changer le bleu en ultraviolet, ou en vert, ou en jaune ? D'autre part, on sait que les cycles à six atomes de carbone des extrémités de la chaîne centrale agissent sur les électrons conjugués et modifient l'absorption lumineuse : quand ces cycles et la chaîne centrale sont situés dans le même plan, les électrons conjugués se meuvent encore plus librement. Cet effet avait-il lieu quand l'astaxanthine est liée à une protéine, dans les carapaces, et la cuisson, qui perturbe les protéines, modifiait-elle la couleur en changeant le type d'alignement ? Les questions étaient nombreuses, et d'autant plus intéressantes que l'absorption lumineuse de l'astaxanthine liée à une protéine ressemble à celle du rétinal, qui intervient dans la vision humaine.

Dans les dernières décennies, plusieurs études avaient progressivement précisé le problème. Tout d'abord, on avait découvert que les complexes pigmentant des carapaces de homards, les « crustacyanines », contiennent environ 16 molécules d'astaxanthine et 8 groupes de deux protéines ; dans ces complexes, des groupes de deux protéines ($A_1$ et $A_3$) lient deux molécules d'astaxanthine par des liaisons faibles.

Le problème de connaître les libertés des électrons dans ce type de structure n'est pas de ceux où il suffit de poser une équation et la résoudre. Il faut d'abord déterminer la géométrie réelle du complexe : les chimistes de Manchester ont broyé des carapaces, dissous les complexes de crustacyanine dans des solvants et enfin récupéré, des solutions formées, les complexes de crustacyanine. Après les inévitables purifications, ils ont formé des cristaux du complexe pur : quatre mois de patient labeur pour obtenir des cristaux bleus mesurant moins d'un demi-millimètre de côté. Leur opiniâtreté a été récompensée : les études de cristallographie aux rayons X pouvaient commencer et elles ont dévoilé la géométrie du complexe, qui explique sa couleur.

Le changement de couleur des homards découle de plusieurs perturbations des molécules d'astaxanthine. Tout d'abord, l'alignement des cycles d'extrémité avec la chaîne centrale augmente la liberté des électrons des doubles liaisons. À la cuisson, la dénaturation de chaque protéine perturbe les complexes et laisse les extrémités de l'astaxanthine se désaligner, ce qui modifie l'ab-

sorption. D'autre part, des molécules d'eau sont libérées : ces molécules interagissant avec les extrémités de l'astaxanthine, la couleur change à la déshydratation.

## Des colorants modulables

À quoi servent toutes ces études ? D'abord à comprendre comment les homards évitent les prédateurs malgré leurs pigments naturellement rouges, donc repérables : grâce à la liaison de l'astaxanthine aux protéines, la carapace prend cette couleur bleu sombre qui assure un bon camouflage dans les fonds océaniques. D'autre part, les études des chimistes de Manchester ouvrent de nouvelles voies aux ingénieurs de l'industrie alimentaire : pour obtenir des colorants alimentaires variés, ils pourront s'amuser à complexer des molécules d'astaxanthine – colorant naturel, donc plus prisé des consommateurs que les colorants de synthèse – par des protéines, en utilisant les mécanismes identifiés dans les carapaces de homard. Enfin, le cuisinier saura que le poêlage des carapaces broyées apporte à la fois des protéines, dont la cuisson engendre des arômes puissants, et des caroténoïdes, dont le chauffage engendre souvent des molécules aromatiques telles que la bêta-ionone, en partie responsable de l'odeur des fraises ou des violettes.

# Les belles (odeurs) captives

**Quand les yaourts ne contiennent pas de graisses, on leur donne de l'onctuosité en ajoutant des épaississants. Hélas, cet ajout peut ralentir la libération des molécules odorantes.**

Les yaourts allégés, bons pour la ligne, sont médiocres en bouche. Aussi les industriels introduisent-ils des polysaccharides pour restaurer une consistance plaisante, laquelle détermine le goût général de l'aliment. À la Station INRA de Dijon, S. Lubbers, N. Decourcelle, N. Vallet et E. Guichard ont examiné comment l'ajout de ces épaississants modifie l'odeur des yaourts.

Épaissir le yaourt, c'est comme lier les sauces. Question : pourquoi épaissir ? Réponse : pour ralentir le moment où l'aliment est absorbé et augmenter la durée du plaisir de la dégustation. Toutefois, cet épaississement a sa Némésis, car il ralentit la libération des molécules à effet gustatif de l'aliment : molécules sapides, qui activent les récepteurs des papilles ; molécules odorantes qui stimulent les récepteurs olfactifs en remontant par les fosses rétronasales, à l'arrière de la bouche ; molécules stimulant le nerf trijumeau, pour faire du frais ou du piquant...

## Molécules odorantes piégées

Ces molécules n'ont d'effets que si elles sont libérées, et toute interaction avec d'autres composés d'un aliment limite cette libération. Par exemple, les molécules d'amylose de l'amidon sont de longs polymères qui s'enroulent en hélice, formant des cavités où viennent se loger les molécules odorantes.

L'amylose de l'amidon n'est pas un cas isolé : cette molécule, enchaînement de très nombreuses molécules de glucose, porte un très grand nombre de groupes hydroxyle (–OH), comme tous les « polysaccharides », ou sucres complexes. Or les polysaccharides sont précisément utilisés comme épaississants parce que les groupes hydroxyle se lient aux molécules d'eau : grosses molécules accompagnées d'un cortège de molécules d'eau liées, elles augmentent la viscosité, d'où l'épaississement... et corrélativement, les effets malheureux sur l'odeur des aliments.

D'une part, les molécules odorantes se dégagent moins facilement d'une solution visqueuse, et, d'autre part, elles interagissent avec les parties hydrophobes des polysaccharides. Selon les cas, il y a une rétention excessive, et l'aliment perd du goût, parce qu'il perd de l'odeur, ou bien l'aliment gagne de la longueur en bouche, parce que les molécules odorantes, faiblement liées, sont libérées plus lentement en bouche. C'est ce que pressentent les cuisiniers, mais qu'il est essentiel d'étudier précisément.

Les physico-chimistes dijonnais ont examiné l'odeur des yaourts allégés. Un yaourt, c'est du lait solidifié par l'action de bactéries lactiques, lesquelles, consommant le lactose du lait (le sucre présent naturellement dans le lait), produisent de l'acide lactique qui précipite les protéines du lait ; ces dernières forment un réseau qui emprisonne l'eau du lait, ainsi que la graisse éventuellement présente.

Les physico-chimistes ont étudié des yaourts à la fraise, où des épaississants avaient été ajoutés à la préparation de fraises qui était mêlée aux yaourts nature : de l'amidon de maïs modifié, de la pectine de citron, de la gomme guar, des fructo-oligosaccharides. Les préparations de fraises contenaient aussi de l'aspartame et de l'acésulfame (édulcorants), du fructose, du citrate de calcium, du citrate de sodium, de la pulpe de fraises et de l'eau. Au total, les yaourts à la fraise sont à la fois visqueux et élastiques. Lors du stockage, la texture évolue un peu, parce que les micro-organismes lactiques continuent d'augmenter (légèrement) l'acidité, produisant notamment de l'acide lactique, lequel renforce le gel laitier.

## Quels épaississants pour le goût ?

S. Lubbers et ses collègues ont ensuite testé la libération de molécules odorantes qui avaient été ajoutées aux yaourts pour les besoins de l'étude : quatre esters, respectivement à l'odeur de fraise, de fruit, de bonbon à la fraise, et de fleur, et un alcool à l'odeur de feuille verte. L'odeur des yaourts était suivie pendant 28 jours.

Pour mesurer l'odeur libérée par les diverses préparations qu'ils étudiaient, les chimistes ont utilisé un système très en vogue parmi les spécialistes des odeurs, qui consiste à plonger une fibre d'un polymère dans l'air qui surmonte une préparation odorante, puis à désorber ensuite les molécules adsorbées dans un appareil identifiant les molécules.

Les chimistes ont mesuré la libération, dans l'air, des molécules odorantes de leur cocktail, après incorporation soit dans de l'eau, soit dans de l'eau additionnée d'une préparation de fruits, soit dans un yaourt allégé. L'odeur diminue, de l'eau pure (qui ne retient que peu ou pas les molécules odorantes) à l'eau additionnée de la préparation de fruits, et enfin au yaourt aux fruits : les épaississants réduisent la libération d'esters, car, comme prévu, les molécules odorantes de l'arôme se lient aux polymères que contiennent ces produits.

Épaississons donc nos aliments avec des épaississants bien choisis, afin qu'ils libèrent bien leurs molécules odorantes et que leur goût soit optimal. Bon appétit.

# Vingt-trois types de sauces

**Les sauces françaises classiques se comptent par centaines, mais elles ne sont que de 23 types physico-chimiques. Leur classement permet d'en inventer de nouvelles.**

On dirait un inventaire à la Prévert : fond brun, fond blanc, fond de volaille, fond de gibier, fond ou fumet de poisson, fonds de poisson au vin rouge, essence de poisson, essences diverses, glaces de volaille, de gibier, de poisson, de viande, roux brun, blond, roux, sauce espagnole, sauce espagnole maigre, sauce demi-glace, jus de veau lié, velouté ou sauce blanche grasse, velouté de volaille et de poisson, sauce parisienne, sauce suprême, sauce béchamel, sauce aux cerises, sauce charcutière, sauce chasseur... Ainsi s'égrène la litanie des sauces classiques françaises, dans le *Répertoire de la cuisine*, de Th. Gringoire et L. Saulnier. Comment s'y retrouver ? Des analyses physico-chimiques ont montré que toutes ces sauces sont de 23 types seulement. Cette classification a l'avantage de conduire à l'invention de sauces nouvelles.

## Les classifications anciennes, par la pratique

Les sauces françaises classiques ont été classées par Marie-Antoine Carême, Jules Gouffé, Urbain Dubois... Une des classifications les plus récentes, dans un esprit classique, est celle de l'Académie des gastronomes et de l'Académie culinaire de France, en 1991. Cette classification est opératoire : des sauces secondaires sont dérivées des sauces mères. Par exemple, le fond de veau brun clair est préparé à partir d'os de veau que l'on fait colorer au four, puis que l'on cuit deux heures avec de l'eau, des carottes, des oignons et de l'ail, des tomates et un bouquet garni. De ce fond de veau brun clair, on dérive le fond de veau lié, en ajoutant à ce jus un roux, puis en cuisant longuement. De ce fond de veau lié seront dérivées des sauces africaines, à l'anis, Bercy..., par ajout d'éléments donnant un goût spécifique.

Cette classification décrit des opérations, non des résultats, de sorte que sont éloignées des sauces pourtant apparentées. Par exemple, la crème anglaise, obtenue par cuisson de jaune d'œuf, de sucre et de lait, n'est pas consi-

dérée comme apparentée à la sauce hollandaise, obtenue par cuisson de jaune d'œuf, d'une infusion d'échalotes et de beurre ; pourtant, dans les deux sauces, la viscosité est assurée par la coagulation du jaune d'œuf et par l'émulsion de matière grasse.

Un formalisme que j'ai introduit lors du Congrès européen des colloïdes et interfaces, en 2002, livre une nouvelle classification, fondée sur la structure physico-chimique des sauces. On y note $G$ un gaz, $E$ une solution aqueuse, $H$ une matière grasse à l'état liquide, et $S$ un solide ; ces « phases » peuvent être dispersées (symbole /), mélangées (symbole +), superposées (symbole σ), incluses (symbole @). Ainsi, le fond de veau est une solution, qui est notée $E$. Le fond de veau lié, composé de grains d'amidons gonflés par l'eau qu'ils ont absorbée, dispersés dans une solution aqueuse, est alors décrit par la formule $(E/S)/E$.

Pour nombre de sauces, la formule physico-chimique est complexe, parce que la recette prescrit des ingrédients nombreux. La simple ravigote froide, obtenue à partir d'huile, de vinaigre, de câpres, de persil, de cerfeuil, d'estragon, d'oignons et de sel, a une formule où chaque ingrédient est représenté. Toutefois, un agrégat de quelques cellules végétales, qu'il soit apporté par l'oignon, le cerfeuil ou le persil, reste un microgel, parce que l'eau des cellules est dispersée dans un petit solide. La structure de la sauce ne dépend pas de la nature de la solution aqueuse ainsi utilisée, de sorte que les formules des sauces se simplifient. Au total, les centaines de sauces classiques françaises se résument à 23 catégories.

## Les bases de l'invention

Que faire d'un tel résultat ? Observer d'abord que certaines catégories de formules manquent. Pourquoi, par exemple, aucune sauce n'a-t-elle la formule $(G + (E/S))/E$ ? Une telle sauce s'obtient par exemple en ajoutant un blanc d'œuf battu en neige à un velouté, lui-même obtenu par cuisson d'un roux dans un bouillon.

D'autre part, la connaissance de l'état final des sauces permet de chercher des moyens différents de les obtenir. Par exemple, la sauce Michel Menant s'obtient par cuisson d'échalotes dans du beurre, ajout de Noilly, réduction, ajout de fumet de poisson, nouvelle réduction, ajout de Porto, nouvelle réduction, ajout de crème, nouvelle réduction, filtration, ajout de beurre et de thym. On obtient le même résultat par mélange de tous les ingrédients en une seule fois, puis réduction de l'ensemble. Quid du goût ?

Enfin, la connaissance des formules classiques permet d'obtenir des sauces modernes dans l'esprit classique. Le velouté additionné de blanc d'œuf battu en neige, examiné précédemment, n'est pas classique, parce qu'aucune sauce classique n'a la même formule ; mais une sauce dont la phase huile, obtenue par du beurre fondu, aurait été remplacée par du foie gras fondu, serait dans l'esprit traditionnel.

# À quoi bon ?

**Étude de deux opérations classiques : le dépouillement des sauces et le flambage. Sont-elles bien utiles ?**

Le flambage, tout le monde connaît : on flambe les crêpes Suzette, les omelettes norvégiennes, certains vins chauds, des sauces où l'on a mis du Cognac… Étrange opération : pourquoi le chauffage d'une casserole qui contient du Cognac, sans flambage, procurerait-il un résultat différent du chauffage d'une casserole identique, mais dont on a enflammé les vapeurs d'alcool évaporées ? Dans les deux cas, les mêmes ingrédients initiaux sont présents ; dans les deux cas, le même chauffage a lieu, et, dans les deux cas, la même évaporation emporte les mêmes composés hors de la casserole.

La flamme, au-dessus de la casserole que l'on flambe, engendre-t-elle des molécules nouvelles ? Certainement, la combustion de vapeur d'éthanol (et des autres composés organiques évaporés avec l'éthanol) forme des composés nouveaux, mais les vapeurs et la flamme qui montent emportent ces composés à l'extérieur de la casserole… de sorte que les contenus des deux casseroles devraient être identiques.

Sauf si la flamme elle-même chauffe tant le liquide, à sa base, que des molécules nouvelles sont formées dans la solution ! De combien la surface du liquide chauffé augmente-t-elle, quand les vapeurs sont enflammées ? Les résultats de l'expérience qui consiste à placer un thermocouple dans une telle flamme et dans le liquide qu'elle surmonte ne surprennent pas celui qui connaît la physique de l'évaporation des mélanges : tant que de l'alcool est présent (ce que l'on voit à la flamme qui surmonte le liquide), la température du liquide est fixe, inférieure à 100 °C, et, surtout, il n'y a pas de différence de température entre un Cognac chauffé et flambé, et le même Cognac chauffé de la même façon et dont on n'enflamme pas les vapeurs d'alcool.

Dans la flamme, les résultats des mesures sont plus surprenants : si des températures de plus de 200 °C sont atteintes vers le haut de la flamme, la base n'est qu'à une température constante de 85 °C environ, à quelques centimètres au-dessus de la surface du liquide, tant que la flamme est présente. Comment une aussi faible température modifierait-elle le goût de la sauce flambée ?

L'analyse chimique des sauces flambées ou non reste à faire, mais gageons que le flambage se révélera décevant. Pas dans tous les cas, toutefois : les cuisiniers qui font des crêpes Suzette ou des omelettes norvégiennes savent bien que les aspérités des crêpes ou des blancs en neige qui sont léchées par les flammes brunissent plus que les autres parties ; dans ce cas, le goût est clairement modifié.

## Le dépouillement

Le dépouillement est une opération classique de la cuisine française, qui, selon le *Larousse gastronomique*, vise « à enlever toutes les impuretés qui, au cours d'une ébullition lente, remontent à la surface d'un fond ou d'une sauce, en formant une écume désagréable ».

Imaginons, par exemple, que l'on ait préparé un « velouté », en commençant par cuire du beurre et de la farine jusqu'à coloration (on forme ce que l'on nomme un « roux »), puis en ajoutant un bouillon de viande ou de poisson à la pâte formée. La cuisson de la préparation épaissit la sauce, parce que les grains d'amidon de la farine laissent sortir une partie de leurs molécules d'amylose (des molécules formées par l'enchaînement linéaire de molécules de glucose), tandis que de l'eau s'immisce entre les molécules, restant dans les grains, d'amylopectine (des polymères ramifiés du glucose). C'est alors qu'intervient le dépouillement : on place la casserole sur un feu très doux, de sorte qu'une seule cellule de convection fasse remonter le liquide chauffé, du fond de la casserole. Au sommet de cette cellule de convection, les « impuretés » qui s'accumulent sont éliminées à intervalles réguliers à l'aide d'une cuillère.

Intéressante pratique, mais que sont les « impuretés » ? De la matière grasse en excès ? Des particules qui troublaient le bouillon versé dans le roux ? Voulant savoir si la matière grasse du « roux » initial était progressivement éliminée au cours du dépouillement et si la sauce dépouillée ne conservait de matière grasse que liée à l'amylose, nous avons préparé un velouté modèle, avec René Le Joncour et Raphaël Haumont : beurre, farine et eau (plutôt que du bouillon) ont été assemblés selon les règles de l'art. Puis, à intervalles réguliers, nous avons retiré la peau qui se formait à la surface de la sauce, en mesurant la température en divers points et en observant l'état microscopique de la sauce.

Avec la puissance de chauffe choisie, une délicieuse odeur de soupe aux champignons est apparue après une demi-heure de cuisson (alors que de l'eau toute simple avait été

ajoutée au roux) et une peau se formait au début, toutes les 12 minutes environ. Nous avons prolongé le dépouillement afin d'être certains de bien retirer toutes les impuretés... mais, après une dizaine d'heures, la sauce avait été si bien dépouillée qu'il ne restait rien dans la casserole ! D'autres expériences ont confirmé ce premier résultat, de sorte que l'on sait aujourd'hui que c'est la sauce elle-même que le cuisinier prend pour une impureté quand il dépouille. Naturellement, de véritables impuretés sont éliminées, en début de préparation, mais la peau qui se forme n'est pas composée de telles impuretés : c'est la sauce qui croûte en surface.

Et la matière grasse ? Elle est moins stabilisée en fin de dépouillement, mais les observations au microscope montrent qu'elle reste dispersée de la même façon, et en proportions analogues, en début et en fin d'opération.

D'où la conclusion inévitable : un trop grand dépouillement, prôné par les Pères de l'Église et certains cuisiniers, est nuisible.

# Les eaux-de-sauce

**Comme les eaux-de-vie, ces préparations inédites aux couleurs souvent ambrées résultent d'une séparation et sont de goût délicieux. Essayez-les !**

Les sauces sont le plus souvent liquides, mais nappantes, avec des caractéristiques d'écoulement variées. Ainsi la mayonnaise, qui semble solide au repos, se fluidifie en bouche lorsqu'on la met en mouvement. L'art du saucier est d'obtenir ces comportements caractéristiques de chaque sauce par une liaison : pour cela, il utilise des protéines qu'il fait coaguler (œuf, sang), ou il ajoute de la matière grasse qu'il fond et qu'il disperse en myriade de gouttelettes dans la phase aqueuse continue (émulsions), ou il utilise des amidons variés (riz, blé, pomme de terre...), qui, chauffés dans l'eau de la sauce, gonflent en absorbant cette eau.

Au total, le saucier cherche à obtenir une préparation ni trop liquide (une sauce n'est pas un jus) ni trop solide (une sauce n'est pas une purée), qui enrobe les morceaux du plat (viande, poisson, légume).

## D'un petit mal, faire un grand bien

Dans cet esprit classique, une sauce qui se sépare en plusieurs phases – on dit qu'elle « tranche » – est un échec, une faute. Et si l'on en faisait une qualité ? Par exemple, si l'on parvenait à ne conserver que la partie aqueuse : la solution, limpide, n'aurait-elle pas des vertus analogues à celles des plus beaux consommés, ces bouillons dont on enrichit le goût à l'aide de viande que l'on y cuit, puis que l'on clarifie à l'aide de blanc d'œuf ?

Pour un essai, partons d'une sauce civet, obtenue par cuisson de viande dans du vin, avec oignons, carottes, bouquet garni... Lors de la longue cuisson du civet, le liquide de cuisson a d'abord épaissi en raison de la farine dont on avait « singé » la viande pour la faire revenir à l'huile, puis s'est fluidifié, s'enrichissant notamment par hydrolyse de l'amylose et de l'amylopectine de la farine. Au total, c'est une sauce sombre et trouble que l'on obtient ainsi et qui, en temps normal, aurait été épaissie par ajout de sang.

Cette fois, testons la filtration ou la clarification. La filtration est le moyen le plus simple, mais il reste hélas confiné aux laboratoires, avec leurs entonnoirs en verre fritté de porosité contrôlée. Pourtant, il ne serait pas difficile de bénéficier de siècles de développement des techniques de laboratoires : les catalogues de matériels pour laboratoire regorgent de filtres en tous genres, avec même des systèmes qui ne colmatent pas. À défaut, nous filtrerons avec des systèmes de fortune, par exemple du sable propre placé dans un linge, le tout placé sur un chinois de cuisine.

Pour ceux que ce système ne tente pas, il reste la classique clarification des bouillons, que l'on effectue en ajoutant du blanc d'œuf battu à la sauce trouble, puis en cuisant longuement, avant de passer le liquide obtenu dans un linge plié en quatre, lequel tapisse les parois d'un chinois. Dans les deux cas, on récupère un liquide limpide, de couleur ambrée, comme un beau Cognac...

que l'on pourra servir, comme ce dernier, dans un verre, à côté de la viande. Nommons « eau-de-civet » ce superbe produit.

Généralisons à l'ensemble des sauces. En 2003, nous avons montré que toutes les sauces du *Répertoire général de cuisine*, de Th. Grégoire et L. Saulnier (1901) se réduisent à 14 types physico-chimiques. Après ce premier résultat, le corpus étudié a été étendu aux principaux livres de cuisine : *La cuisine française au* XIX$^e$ *siècle*, de Marie-Antoine Carême, le *Guide culinaire*, signé par Auguste Escoffier. Le nombre de types physico-chimiques de sauces s'est aujourd'hui stabilisé à 23. La quasi-totalité contient une phase aqueuse dispersante, de sorte que la plupart des sauces classiques peuvent donner lieu à des « eaux-de-sauces », analogues à l'« eau-de-civet ».

## Filtration, distillation... et autre

Comment les produire ? La filtration et la clarification pourront être utilisées. Toutefois, comme les sauces contiennent souvent une phase grasse, qui troublerait les eaux-de-sauces, on évitera l'ajout de matière grasse, avant filtration ou clarification ; si l'on ne peut l'éviter, on cherchera plutôt à déstabiliser les émulsions et à écumer les sauces pour récupérer les phases grasses, dont on pourra faire usage par ailleurs.

Déstabiliser les émulsions ? Les chimistes ont l'habitude de passer leurs émulsions

sur de la paille de fer. On pourrait aussi envisager des distillations, pour les cas où ces sauces formeraient des émulsions trop stables : après tout, si le procédé est interdit pour la production d'alcools, il reste licite pour des opérations culinaires.

Vous n'avez pas de cornue ? Qu'à cela ne tienne : adaptez un tuyau de caoutchouc sur votre cocotte-minute, à la place de la soupape de sécurité : dans cette configuration, la sauce cuira à la pression atmosphérique, et vous ne récupérerez à la sortie du tuyau que la partie aqueuse de la sauce (pour que la vapeur se condense, plongez un coude du tuyau dans de l'eau froide). Goûtez : un délice !

CHAPITRE 6

# Sans oublier tout ce qui fait que la vie est belle

Oui, notre monde est terrible, et nombre de nos frères et sœurs humains meurent de faim. La science qu'est la gastronomie moléculaire n'est-elle pas une sorte de fioriture de riche ? Quand Lavoisier étudie le bouillon de viande, dans la préhistoire de notre discipline, il se préoccupe de faire le meilleur usage possible des viandes allouées par le roi pour les hôpitaux. La science, ici, n'est certainement pas superflue, et le travail du patron des chimistes est, comme celui de nombre de chimistes du passé, préoccupé de l'alimentation des populations.

La gastronomie moléculaire serait-elle d'une autre nature ? Viserait-elle des délices supérieurs, tels que les évoquait Brillat-Savarin ? Voire... Celui qui n'a pas les moyens de payer une viande coûteuse, et surtout celui-là, doit savoir les moyens d'attendrir sa viande, de la valoriser. C'est une question vitale d'« économie domestique », terminologie désuète qui mériterait pourtant de revenir sur le devant de la scène culinaire, en passant par l'école, notamment. Oui, la gastronomie moléculaire, si tant est qu'elle doive se préoccuper de ses applications, n'est pas l'apanage d'une caste fortunée, mais, au contraire, une science qui produit des connaissances nouvelles et donne à tous les moyens de transformer les ingrédients mieux que la tradition ne le permet.

Reste la question du plaisir de manger. Plaisir condamné par une certaine religion, parce qu'il n'élève pas l'âme. Il faudrait le cilice, la discipline, le jeûne... À nouveau, la théorie a sa contestation : Saint Vincent de Paul n'a-t-il pas dit : « Il faut que le corps soit à l'aise pour que l'âme s'y plaise. » ? Oui, une telle déclaration risque de justifier tous les débordements, mais Brillat-Savarin a, de son côté, mis des limites aux excès : « Ceux qui s'indigèrent ou qui s'enivrent ne savent ni boire ni manger. »

Le cadre étant posé, l'autorisation de se soucier du détail culinaire étant donnée par les autorités morales – éthiques, dirait plutôt le philosophe Hegel –, nous pouvons maintenant nous intéresser à tout ce qui fait que le bon devient meilleur. Au pétillement du champagne, au pastis de l'apéritif, aux variétés de fromages, à la fraîcheur du pain, aux meringues qui apportent leur croustillant aux desserts, au bouquet du Porto... Oui, nous survivrions de spartiates brouets, mais pourquoi ne pas jouir de la vie et des délices que nos aïeux ont mis au point... ou des perfectionnements qu'il nous incombe de rechercher ?

# L'aliment...terre

**Les récipients d'argile modifient les mets en apportant des saveurs autrefois appréciées, ou en éliminant, par piégeage, des molécules indésirables comme les tanins.**

ujourd'hui, seuls les enfants, les animaux et les malades mangent de la terre. Les premiers explorent leur environnement, les deuxièmes tirent parti de l'argile qui, en se combinant aux tanins végétaux, élimine leur astringence, et les troisièmes utilisent ce même mécanisme de « complexation » à des fins curatives. Dans l'histoire alimentaire de notre pays, l'utilisation de terre a été un important facteur culinaire que Danièle Alexandre-Bidon (*Une archéologie du goût*, Éditions Picard) a étudié.

Ainsi le géographe arabe Idrîsî, au XIIe siècle, signale une argile de provenance espagnole, au goût agréable, et *Le livre des merveilles*, publié par Gervais de Tilbury, au XIIIe siècle, mentionne un champ, à Hébron, d'où les habitants extrayaient une argile rouge « qui se mange ».

Exportée vers l'Égypte, cette argile coûtait autant que l'épice la plus coûteuse, car l'odeur de terre mouillée dégagée par les pots de terre contenant des solutions était une senteur paradisiaque. Le lait, le miel, l'eau prenaient un goût apprécié : selon le *Livre des aliments et de la préservation de la santé*, écrit au XIIIe siècle par Ibn Halsun, l'eau de source devait provenir d'une terre argileuse de bonne qualité pour que sa saveur soit « douce ».

La cuisson en pot de terre avait ainsi pour fonction d'adoucir : « les mets on adoulcir en vaisseaux de terre ». Qu'était cet adoucissement ? S'agissait-il de sucrer ? D'éliminer l'astringence des tanins ? De donner des qualités diététiquement appréciées ?

## Adoucir... vraiment ?

L'intérêt gustatif doit s'interpréter, pour ces époques, à la lumière de la théorie des humeurs, où la terre joue un rôle essentiel. La diététique d'alors se fonde sur l'idée des quatre éléments d'Aristote : le feu, l'air, l'eau, la terre ; on cherche à associer dans l'alimentation des matières qui s'«équilibrent » et compensent d'éventuels excès du tempérament du mangeur. Considérées comme froides et sèches, les argiles corrigent les « humidités » excessives.

La constitution chimique des argiles et des pots de terre assèche véritablement : les argiles sont des oxydes de divers éléments, tels le silicium, qui s'organisent en feuillets pour former des particules, lesquelles se rassemblent en agrégats. Leurs capacités de pomper l'eau peuvent être considérables, et leurs échanges sont déterminés par les divers types de pores. C'est ainsi que, dans les pays chauds, on refroidit l'eau d'une cruche poreuse : l'évaporation à la surface externe prélève de l'énergie à l'eau qui reste dans la cruche. D'autre part, les anfractuosités de la surface augmentent son aire et l'argile piège diverses molécules. Cette propriété est utilisée depuis au moins le XVe siècle : l'humaniste florentin Alberti mentionne que les Toulousains ajoutaient de la terre glaise à leur vin, afin d'obtenir « plus de saveur ». S'agissait-il de rendre « meilleurs » les vins en ajoutant du goût, ou en retirant les tanins ?

Dans le *Mesnagier de Paris* (1393, un des premiers livres de cuisine en français), il est écrit que : « Les potages sont meilleurs s'ils sont faits en pot de terre. » Si l'effet existe, est-il dû à une concentration sélective du bouillon, dont une partie de l'eau aurait traversé la terre, laissant les molécules organiques hydrophobes (notamment les molécules odorantes) en solution ? Ou bien la faible conductivité thermique aurait-elle évité les bouillonnements excessifs, qui auraient fait disparaître ces molécules odorantes par entraînement à la vapeur d'eau ? Pour les viandes, la mauvaise conductivité aurait-elle imposé de longues cuissons, de sorte que le collagène dur des viandes aurait eu le temps de se dissoudre, tandis que la gélatine lentement extraite était hydrolysée, formant une solution d'acides aminés au goût puissant ? Questions ouvertes.

## Les senteurs terrestres

Le chimiste pourra aussi vérifier l'affirmation d'Olivier de Serres selon laquelle on évite la « senteur terrestre » en faisant bouillir longuement les vaisseaux de terre avec du son : ce dernier capte-t-il les molécules odorantes adsorbées dans l'argile ? Est-il exact qu'un pot neuf, chauffé puis réduit en morceaux, donne un goût « potable » à du vin ou à de l'eau ? Et le « potable » signifie-

t-il ici buvable, ou « qui a un goût de pot » ? Est-il exact que « le maulvais vin gaste et corromp le vessel [de terre] s'il y demeure longuement » ?

Le cuisinier a progressivement éliminé les interactions du contenu et du contenant : l'acier inoxydable s'est imposé, et les vignerons restent seuls ou presque à utiliser les vertus du bois pour changer le goût des vins. Pourquoi les cuisiniers ne sélectionneraient-ils pas les argiles pour améliorer le goût des mets par les ions que des argiles apportent ou retirent ? Pour éviter des odeurs de terre mouillée, on évitera la terre superficielle, avec ses nombreuses molécules organiques dues à la décomposition des végétaux. Quand réutilisera-t-on, dans des poires au vin, la poudre provenant de l'effritement d'une « terre mal cuite » ? À quand des cartes de restaurant qui sauront redonner aux plats un vrai goût… de terroir ?

# Fromages à l'artichaut

**On peut fabriquer des fromages sans présure avec des enzymes végétales. La découverte, dans la fleur d'artichaut, d'une enzyme qui fait cailler le lait confirme un savoir populaire.**

Dès 1655, dans *Les délices de la campagne*, Nicolas de Bonnefons écrit : « Si vous prenez des barbes violes, des fleurs de cardon d'Espagne et que vous les fassiez sécher comme des roses, vous vous en servirez pour faire cailler le laict au lieu de présure. » Le savoir technique populaire mentionne d'autres caille-lait : feuilles d'orties, graines de chardon béni, fleur de chardon sauvage, gingembre, foin d'artichaut cru... À l'Université de Lujin, en Argentine, Berta Llorene, Cristina Brutti et Néstor Caffini ont identifié l'enzyme caille-lait que renferme l'artichaut.

Le lait est une dispersion dans l'eau de gouttelettes de matière grasse et de « micelles de protéines », des assemblages de protéines nommées caséines et d'ions, surtout phosphate et calcium. Les caséines, électriquement chargées, empêchent l'agrégation des micelles de caséine. Quand une enzyme de la présure (la chymosine) coupe les caséines qui ne jouent plus leur rôle de barrière séparatrice, le lait coagule. Les biochimistes ont trouvé d'autres enzymes coagulantes pour la fabrication du fromage, notamment les extraits de fleurs de cardons (comme l'indiquait la tradition).

Qu'elles proviennent de graines, de feuilles ou de fleurs de végétaux variés, toutes les enzymes employées dans les fromageries modernes sont des protéinases dites à l'acide aspartique, ayant des séquences en acides aminés analogues. Deux groupes de ces protéinases ont déjà été isolés des fleurs d'astéracées (la famille des cardons) et utilisés par l'industrie pour fabriquer des fromages d'un goût et d'une consistance différents de ceux des laits caillés par la présure.

Ces travaux ont relancé l'exploration des produits naturels, et, notamment, de l'artichaut. Si Jean Froc et ses collègues spécialistes des fromages à l'INRA avaient depuis longtemps confirmé l'effet, que des cuisiniers comme Marc Meneau utilisent, quelles molécules de quelles parties de l'artichaut font-elles cailler le lait, et pourquoi ?

## Extraits coagulants

Les biochimistes argentins ont d'abord préparé des extraits de divers organes de l'artichaut, par broyage des tissus, filtration, centrifugation. L'activité coagulante des extraits a ensuite été testée sur des laits standardisés, obtenus par dissolution dans de l'eau de quantités mesurées de poudre de lait, et mesure du temps écoulé entre l'ajout des extraits et la coagulation. Pour préciser cette action, les biochimistes mesuraient aussi l'activité sur les caséines, en mélangeant les extraits à des solutions de ces protéines. Enfin la quantité d'enzymes était mesurée : ces tests ont montré que les enzymes coagulantes sont surtout présentes dans les fleurs matures, dix fois moins dans les fleurs immatures et dans les feuilles (activité analogue à celle des fleurs immatures).

Les fleurs étant les seuls organes de l'artichaut ayant une activité coagulante, l'étude s'est alors focalisée sur ces dernières et les biochimistes ont finalement isolé une protéinase des fleurs immatures ; ils l'ont purifiée par chromatographie, ont analysé la séquence en acides aminés, puis comparé cette séquence à celle de protéinases d'autres fleurs.

## Caille-lait, cardons, artichauts

Comme pour les protéinases de cardon, le *p*H auquel les extraits de fleurs matures d'artichaut sont le plus actifs est compris entre 4,5 et 5,5. L'utilisation de diverses enzymes ou composés qui révèlent la nature des enzymes a montré que les enzymes actives appartenaient à des protéinases à l'acide aspartique, comme les autres protéinases isolées de fleurs d'astéracées. Finalement, les chromatographies ont révélé cinq pics, dont surtout les deux derniers étaient actifs ; ils correspondaient à des protéines de masse moléculaire d'environ 60 000. Une analyse supplémentaire montra que la protéinase caillante des fleurs d'artichauts est synthétisée sous la forme d'une proenzyme de masse moléculaire 62 000, qui est ensuite divisée en deux chaînes de masses respectives égales à 30 000 et 15 000, associées dans l'enzyme active.

Les biochimistes argentins ont ainsi retrouvé un système analogue à celui qui avait été observé pour l'enzyme des fleurs de cardon, de masse 64 000, qui était ensuite divisée en deux chaînes.

J'oubliais ! Si vous voulez faire votre fromage sans présure, la recette est la suivante : récupérez le foin d'artichauts avant la cuisson de ceux-ci (sans quoi les enzymes sont dénaturées), placez ce foin dans une mousseline et laissez tremper dans du lait, dans un endroit tiède, pendant une nuit, à raison d'un foin pour un demi-litre de lait. Il n'est pas interdit d'assaisonner, afin que l'expérience se transforme en cuisine !

# Fromages travaillés

**Un jeu chimique permet de généraliser la fondue à toutes sortes de fromages. Les résultats sont meilleurs avec les fromages affinés.**

Émules de l'inventeur inconnu de la fondue, les cuisiniers souhaitent « travailler » les fromages : en les chauffant et en les mélangeant à un liquide, par exemple du reblochon dans du jus de carotte, ils cherchent à constituer une phase macroscopiquement homogène. La réussite n'est pas toujours au rendez-vous : sans précaution, une masse élastique et caoutchouteuse nage dans un liquide trouble...

## Le phosphate de calcium, ciment du fromage

Le comportement des fromages se déduit de leur constitution : dans l'eau du lait, qui donnera les fromages, sont dispersées des « micelles de caséine » et des gouttelettes de matière grasse, les globules. Ces micelles sont des agrégats de plusieurs sortes de protéines cimentés par des ions, phosphate, calcium ou citrate. Les globules de matière grasse sont enrobés d'une « membrane », faite de protéines et de lipides, qui assure leur dispersion dans l'eau. Le lait est ainsi à la fois une solution, une suspension et une émulsion.

Le caillage du lait conduit aux fromages : l'ajout au lait de présure, une préparation enzymatique extraite de la caillette (le quatrième estomac) des veaux, modifie les micelles de caséine qui s'agrègent. La masse qui résulte de cette agrégation renferme encore de l'eau, des protéines et des matières grasses. On caille aussi le lait en faisant agir des micro-organismes qui transforment le lactose en acide lactique : cette acidification agrège les micelles, car les charges négatives des micelles de caséines sont neutralisées et ne se repoussent plus. Ainsi, les fromages renferment principalement des caséines agrégées, de l'eau et de la matière grasse.

## Quand la dégradation d'un sucre favorise un procédé

Lors de l'affinage, le lactose est transformé en acide lactique, les acides gras sont détachés des graisses et les caséines sont dégradées. Selon les fromages, 20 à 40 pour cent des caséines sont transformées en protéines solubles ; aussi les fromages très affinés se dispersent facilement dans l'eau, formant des émulsions apparentées à la fondue, tandis que des fromages jeunes resteront en masse indésirable.

Pour obtenir de bonnes dispersions donnant des textures lisses, les fabricants de fromages tartinables chauffent les fromages en présence de « sels de fonte », lesquels contiennent des ions lactate, citrate ou phosphate. L'acide citrique, par exemple, en se liant aux ions calcium, rompt les ponts calciques qui relient les sous-micelles en micelles, ce qui disperse les protéines du fromage dans la solution. Toutefois, l'acidité de l'acide citrique ayant l'effet inverse et provoquant la coagulation, les

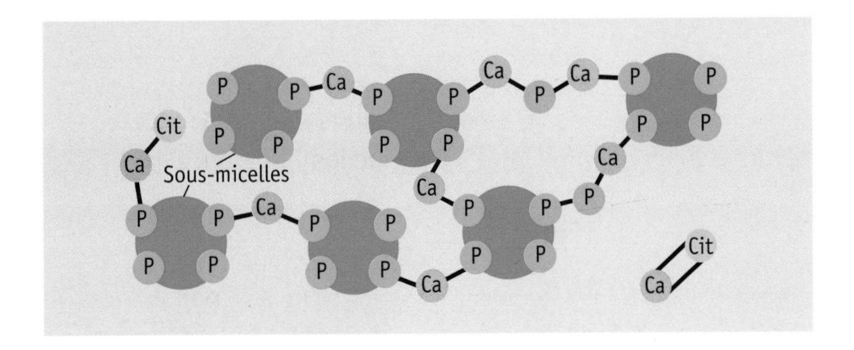


fabricants ajoutent des ions citrate sous la forme de citrate de sodium (E331).

## Et quand on manque de citrate

Comme les cuisiniers amateurs n'ont pas encore le citrate qui les aiderait à travailler les fromages, ils pourront employer du fromage fondu ou du fromage à tartiner, qui contiennent précisément ces produits très efficaces. Les cuisiniers plus traditionnels qui redoutent les MNI (Molécules Non Identifiées) des produits industriels utiliseront des moyens plus « culinaires » : par exemple du jus de citron qui contient de l'acide citrique, que du bicarbonate de sodium neutralise, la combinaison des deux permettant la dispersion des protéines.

Restera alors le problème de la dispersion des matières grasses dans la phase aqueuse, ou émulsification. À cette fin, le cuisinier devra utiliser des molécules tensioactives : dans un fromage affiné, celles-ci abondent, car les protéines ont été dissociées, mais, dans le fromage jeune, un émulsifiant alimentaire s'impose. La gélatine est un ingrédient de choix (il en existe bien d'autres).

Le cuisinier qui aura ainsi généralisé la recette de la fondue pourra ajouter un dernier raffinement : il évitera la coalescence des gouttes de matière grasse en augmentant la viscosité de la phase aqueuse. L'industrie utilise des « hydrocolloïdes » qui, se liant à beaucoup d'eau, en augmentent la viscosité : alginates, agar-agar, gomme arabique, pectines... Plus simplement, une pincée de farine fait merveille.

# Les cornichons au vinaigre

**Utilisons le sel pour éviter trop de vinaigre, le zinc au lieu du cuivre pour la couleur, et des enzymes pour garder le croquant des cornichons.**

La saison bat son plein, les cornichons grossissent. Pour en disposer tout le reste de l'année, nous devons les cueillir et les confire. Comment nous y prendre ? La tradition culinaire ne nous aide guère, à moins que nous l'interprétions, à la lumière des récentes études de biochimie. Dans *La cuisine moderne*, parue en 1885, une « réunion de cuisiniers » révèle les caractéristiques souhaitées par les amateurs de cornichons au vinaigre : ils doivent être croquants, pas trop vinaigrés et verts.

Pas trop vinaigrés, tout d'abord. La demande est paradoxale, car l'acidité du vinaigre est indispensable : elle prévient la colonisation par des micro-organismes qui dégraderaient les tissus végétaux. Donc il faut que le vinaigre protège la surface des cornichons des intrusions, mais ne pénètre pas trop. Dans un dégorgement préalable au sel, l'eau de l'intérieur du cornichon diffuse vers le sel. Ce phénomène d'osmose produit un cornichon ratatiné, qui, ensuite, ne s'imbibe plus beaucoup de vinaigre, surtout quand celui-ci est salé et sucré.

## La grande question du vert

Deuxième point : comment avoir des cornichons bien verts ? La « réunion de cuisiniers » indique de cuire dans une bassine non étamée (jusqu'au premier bouillon du vinaigre). L'époque voulait qu'une telle bassine soit de cuivre, ce qui révèle la raison de la précision. En effet, les cornichons doivent pour beaucoup leur vert aux molécules de chlorophylle, qui contiennent, en leur centre, un atome de magnésium faiblement lié à des atomes d'azote. Quand cet atome est remplacé par des protons de l'acide acétique, les chlorophylles deviennent des « phéophytines » qui font virer les cornichons au jaune olive. Lors de la cuisson dans du cuivre non étamé, le magnésium est partiellement remplacé par le cuivre qui confère aux cornichons une couleur verte éclatante. Or le vert-de-gris est un poison redouté : cette pratique menace-t-elle la santé ?

Dès 1860, M.-A. Chevalier et Émile Grimaud répondent oui en donnant un *Moyen de reconnaître s'il est entré du vert-de-gris dans la préparation des cornichons afin de leur donner une couleur verte* : « Cette préparation vicieuse des cornichons donne lieu à la production d'un peu de vert-de-gris (sous-acétate de cuivre), qui peut avoir une funeste influence sur la santé des consommateurs. Le moyen le plus simple pour reconnaître cette altération consiste à enfoncer dans le cornichon une aiguille ou une pointe de Paris, qui se couvre, au bout de quelque temps, d'une couche de cuivre métallique, si le cornichon contient une petite quantité de ce métal. »

## Cuivre interdit

Les lycéens, présents et anciens, retrouveront ici l'expérience qui consiste à plonger une lame de fer dans une solution de sulfate de

cuivre pour illustrer les réactions dites d'oxydoréduction. Et les toxicologues renchériront, en condamnant les « bassines à reverdir », en cuivre non étamé, que les cuisiniers utilisaient jadis (et parfois encore aujourd'hui !) pour avoir des végétaux verts bien verts.

Si le cuivre est banni, comment obtenir le vert ? L'industrie alimentaire étudie depuis plusieurs années l'ajout de zinc, qui fait aussi un beau vert (un procédé nommé *Veri-Green* a été breveté en 1982, voir la page 88).

## Activer des enzymes pour donner du croquant

Enfin, le croquant. Sans précautions particulières, le cornichon s'amollit progressivement, mais les biochimistes étudient des enzymes, les pectine méthylestérases, qui agissent sur les pectines du ciment intercellulaire. Les cornichons, comme les autres végétaux, sont composés de cellules, entourées d'une paroi faite notamment de trois polysaccharides : la cellulose, les hémicelluloses et des pectines ; ces dernières forment un ciment intercellulaire sans cesse remanié par les enzymes pectine méthylestérases. En effet, les molécules de pectine sont comme de longs fils hérissés de groupes acide carboxylique (COOH ou $-COO^-$, selon l'acidité) dont certains sont méthylés (transformation en $-COOCH_3$). Lors du chauffage des tissus végétaux, par exemple lors d'une cuisson, l'amollissement résulte d'une dissociation des pectines, d'autant plus forte que le degré de méthylation est élevé.

D'où l'importance des pectine méthylestérases qui détachent une partie du méthanol des pectines : elles laissent les pectines porteuses du groupe acide carboxylique. En milieu acide, les pectines restent alors fortement associées. De surcroît, Jésus Alonso et ses collègues de Madrid ont montré comment l'activation habile de ces enzymes par la chaleur modérée permet de renforcer les parois grâce à du calcium libéré par les cellules. Après ce traitement, les cornichons pourront alors attendre, croquants, leur consommation pendant le reste de l'année.

# Le rassissement

**Des émulsifiants fixateurs d'eau dans la pâte des biscuits évitent le rassissement. Le beurre ne suffit pas.**

Les littératures sur l'enfance du début du siècle, les Jules de Vallès à Renard, et les Marcel de Proust à Pagnol, ont disserté sur le pain rassis qu'il fallait manger parce qu'il était, aussi, « dur » à gagner. L'industrie moderne essaie de pallier le rassissement plutôt que de tabler sur la morale.

Chauffée en présence d'eau, la farine forme un empois : c'est la sauce béchamel, la mie du pain, la microstructure des biscuits... Ces douceurs évoluent, hélas, lors du stockage : à des rythmes différents selon leur composition, ces produits finissent par rassir. E. Chiotelli et M. Le Meste, de l'Université de Bourgogne, à Dijon, ont exploré les interactions de l'amidon et des graisses au cours du rassissement.

## Le stockage de l'énergie

La pâte des biscuits, gâteaux ou pains est obtenue par chauffage de la farine en présence d'eau. Les grains d'amidon gonflent et se soudent, donnant un système pâteux (un « gel »), où l'eau est piégée. Les bases moléculaires du phénomène sont les interactions de l'eau et des deux types de polymères de l'amidon, l'amylose et l'amylopectine. Les molécules d'amylose sont des chaînes linéaires dont les maillons sont des molécules de glucose, les molécules d'amylopectine sont des enchaînements ramifiés, également de glucose. Insolubles dans l'eau froide, les deux polymères stockent le glucose dans l'amidon qui n'est plus lessivé par l'eau.

En revanche, chauffés dans l'eau, les grains d'amidon perdent progressivement certaines de leurs molécules d'amylose, tandis que des molécules d'eau s'immiscent entre les molécules restantes d'amylopectine, dont les structures sont solidarisées par leurs branches. Ces dernières, initialement enroulées par paires, se désenlacent, et les cristaux qu'elles formaient se dissocient. Ainsi s'établit une molle texture.

Hélas, quand l'empois refroidit, des réassociations prennent place : la recristallisation des chaînes d'amylopectine provoque une ségrégation de l'amidon, d'un côté, et des molécules d'eau, de l'autre. C'est ce que l'on nomme la rétrogradation de l'amidon, qui s'observe par exemple à la surface d'une sauce béchamel conservée au réfrigérateur : l'eau perle à la surface de la sauce figée. C'est aussi la cause du rassissement du pain et des biscuits : ce rassissement n'est pas un séchage, la meilleure preuve est qu'il est possible d'amollir par chauffage le pain rassis, ce qui ramène les molécules d'amidon dans un état partiellement empesé où elles ont repris de l'eau.

## Objectif identifié, quels moyens mettre en œuvre ?

Comment lutter contre le rassissement ? L'analyse du mécanisme conduit à penser qu'il faut retenir l'eau et éviter la recristallisation. C'est pourquoi des émulsifiants sont utilisés : avec une partie hydrophile (soluble

dans l'eau) et une partie hydrophobe (insoluble), ces molécules lient les molécules d'eau et les molécules de l'amidon qui s'en sépareraient. L'industrie de la biscuiterie emploie à cet effet des lécithines, présentes dans le jaune d'œuf ou extraites du soja, et divers glycérides, molécules composées de glycérol, auquel sont liés des « acides gras » (ces derniers ont une queue composée d'atomes de carbone C et d'hydrogène H, et une tête formée d'un groupe acide carboxylique –COOH). Comme les molécules d'eau sont liées, le pain rassit moins vite.

## Et les graisses ?

Les triglycérides, composés d'une molécule de glycérol à laquelle sont liés trois acides gras, sont les composants majoritaires des graisses habituelles ; ont-ils un effet anti-rassissant ? Et modifient-ils la gélatinisation de l'amidon ? Évidemment, le comportement rhéologique (d'écoulement) d'amidon empesé est différent, en présence ou en l'absence de graisse. Sans graisse, la gélatinisation rend les empois plus visqueux, quand les grains deviennent si gros qu'ils emplissent l'espace de façon compacte. La présence de matière grasse réduit la fraction volumique occupée par les grains, d'où l'effet lubrifiant des graisses.

Toutefois ces mouvements perturbés ou non n'ont pas de relation avec la gélatinisation, ni avec le rassissement. Les physico-chimistes dijonnaises ont montré que les triglycérides, chimiquement inertes, forment des globules séparés des grains d'amidon, et qu'ils n'imperméabilisent pas les granules d'amidon, ce qui aurait modifié la gélatinisation.

Lors de la rétrogradation de l'amidon, les triglycérides n'ont pas d'effet non plus : les triglycérides ne peuvent faire le lien entre l'amidon et l'eau, et ils sont trop gros pour entrer dans les hélices que forment spontanément ces molécules et, ce faisant, perturber les arrangements de l'amylose.

Le cuisinier et le pâtissier sont désormais fixés : le beurre amollit les pâtes, mais on devra compter sur d'autres ingrédients pour produire des produits durablement tendres.

# Les cristaux de vent

**Ne battez pas trop longtemps : un battage prolongé de blancs d'œufs conduit à des mousses moins gonflées et moins résistantes. Ajoutez aussi, comme Verlaine, un « frisson d'eau sur (de) la mousse ».**

Sachons décoder : quand des revues publient des titres tels que *Structural and Rheological Properties of Aerated High Sugar Systems Containing Egg Albumen*, il faut entendre qu'il s'agit de meringue ! Dans le *Journal of Food Science*, les physico-chimistes britanniques K. Lau et E. Dickinson étudient les caractéristiques des mousses de sirop de sucre et de protéines du blanc d'œuf en fonction des concentrations en protéines et en sucre, et du temps de battage. La qualité de la meringue dépend de ces caractéristiques que nous examinerons ici.

## Indispensables pour ce qu'elles ne sont pas

Les mousses intéressent le cuisinier : elles permettent, par contraste, de mieux percevoir en bouche la texture d'une masse dense et favorisent la perception des odeurs (dans l'air des bulles, les molécules odorantes sont plus accessibles). L'industrie alimentaire trouve aux mousses des vertus : le gaz dans les mousses réduit la quantité de matière. On vend du vent !

Une mousse est une dispersion de bulles de gaz dans une phase liquide. Les protéines, telles celles du blanc d'œuf battu en neige, déroulées par le cisaillement dû au fouet, se dispersent et diffusent à l'interface air-eau ; leurs parties hydrophiles plongent dans l'eau, leurs parties hydrophobes émergent dans l'air. Elles réduisent ainsi la « tension de surface » ; l'énergie nécessaire pour créer les interfaces diminuant, l'aire de l'interface augmente et le volume de bulles aussi.

Les protéines nommées globulines réduisent fortement l'énergie de surface ; l'ovomucoïde et les globulines retardent le drainage du liquide entre les bulles (ce qui pérennise les bulles), en raison de la viscosité qu'elles confèrent au blanc ; le lysozyme forme des complexes avec l'ovomucine et les autres protéines, ce qui renforce les interfaces. Au total, les bulles d'air sont emprisonnées dans une enveloppe rigidifiée.

E. Dickinson et K. Lau ont étudié les concentrations en sucre élevées, telles que celles des meringues ou des divers produits aérés de confiserie. Le sucre accroît la viscosité du liquide, ralentit ainsi le drainage (stabilise les mousses) et réduit la taille des bulles en modifiant l'énergie de surface.

## Les effets du sucre... hors de la bouche

À des sirops de sucre portés à une température d'environ 70 °C, ils ont ajouté des concentrations variées de poudre de blanc d'œuf (2, 4, 6, 8 et 10 pour cent), afin d'obtenir des solutions qu'ils battaient en neige. Ils ont mesuré la viscosité, le volume et la taille des bulles, et, en ajoutant un colorant spécifique, révélé la constitution des films de protéines.

Pour les échantillons contenant peu de protéines (2 et 4 pour cent), la densité des mousses diminue pendant les dix premiè-

res minutes de battage, puis le foisonnement cesse. Aux concentrations supérieures en protéines (6, 8 et 10 pour cent), la densité diminue pendant les cinq premières minutes de battage, atteint un minimum, puis réaugmente.

Au début du battage, le foisonnement est le fait de grosses bulles. Ensuite, la taille des bulles diminue quand le fouet les divise, sans que de nouvelles bulles soient créées. La poursuite du battage dénature l'ovalbumine, ce qui augmente l'épaisseur des couches à la surface des bulles, et les protéines y réticulent. Finalement, on obtient ce que les pâtissiers nomment le grainage, c'est-à-dire l'apparition de particules insolubles. Les mousses formées avec de fortes concentrations en protéines sont plus fines, plus denses et plus rigides (les films à l'interface sont plus épais).

La viscosité des mousses dépend aussi du temps de battage : plus il est long, plus les mousses sont visqueuses, probablement parce que des protéines de plus en plus nombreuses s'adsorbent aux interfaces. Pour les mousses à quatre pour cent de protéines, le comportement est différent : le cisaillement coagule les protéines en complexes insolubles, ce qui réduit la viscosité.

Aux concentrations encore supérieures en protéines (quatre à dix pour cent), la fluidification est encore plus nette quand le battage augmente : les protéines coagulent davantage, conduisant à des films plus aptes à se rompre. De surcroît, les physiciens ont observé que le sucre recristallisait lors du cisaillement, les protéines servant probablement de germes de nucléation : ces cristaux dégradent la mousse en rompant les parois des bulles.

Muni de ces analyses, que fera le cuisinier ? Je propose des meringues « allégées », obtenues par ajout d'eau à du blanc d'œuf, ce qui réduit la concentration en protéines et forme une mousse bien plus délicate. La mousse sera cuite à four très doux pour que le blanc coagule avant que l'eau ne s'évapore : ainsi s'obtiennent des « cristaux de vent » délectables et diététiques, conjugaison rarissime !

# Ce bon vieux cuivre

**Nous savons pourquoi les blancs en neige montés dans des bassines en cuivre sont plus stables.**

Une pincée de sel dans des blancs d'œufs facilite-t-elle la formation de mousse ? Ou un peu de jus de citron ? Le matériau du bassin où l'on bat les blancs importe-t-il ? Les dictons relatifs aux blancs en neige méritent des vérifications expérimentales. À l'Université de Wageningen, aux Pays-Bas, Erik van der Linden et ses collègues ont confirmé une pratique : les blancs en neige battus dans des bassines en cuivre sont plus stables.

Un blanc d'œuf est composé de 90 pour cent d'eau et de 10 pour cent de protéines, c'est-à-dire de molécules formées par l'enchaînement d'acides aminés. Dans l'eau du blanc d'œuf, les protéines, composées de segments hydrophobes alternant avec des segments hydrophiles, se replient en pelotes, les zones hydrophobes se plaçant au cœur des pelotes, tandis que les zones hydrophiles se disposent à la surface de la protéine, au contact de l'eau.

## Les protéines et les mousses

Alors que les bulles introduites par un fouet de cuisine dans de l'eau pure crèvent immédiatement, les bulles d'air formées dans le blanc d'œuf subsistent. Le mouvement du fouet, en cisaillant les protéines, les déroule partiellement, plaçant leurs parties hydrophobes au contact de l'air, à l'intérieur des bulles et leurs parties hydrophiles dans l'eau qui entoure les bulles. Ainsi se forme une mousse fragile, mais suffisamment pérenne pour la plupart des usages culinaires.

Les physico-chimistes de Wageningen ont mesuré la stabilité des blancs d'œufs battus en présence et en l'absence d'ions cuivre. Pour ce faire, ils disposent les mousses formées sur des entonnoirs à verre fritté, ils recueillent le liquide qui draine et le pèsent. Le résultat est sans appel : les blancs en neige, en présence de cuivre, libèrent leur eau environ deux fois moins vite que les blancs en neige battus sans cuivre.

En vertu de quel mécanisme ? Comme le temps de battage initialement choisi n'était peut-être pas celui qui donnait à la mousse sa stabilité maximale, E. van der Linden a répété l'expérience en doublant la vitesse de battage. Cette fois, la différence entre les blancs battus avec et sans cuivre fut encore supérieure : en présence de cuivre, aucun liquide ne s'est écoulé au cours des dix minutes qui ont suivi le battage.

Comme la stabilité des mousses dépend à la fois de la viscosité de la phase liquide et des forces de surface, les chimistes ont dilué les blancs d'œufs et répété les expériences, obtenant les mêmes effets stabilisants, ce qui indiquait que le cuivre agit plutôt sur les interfaces eau-air que sur la masse du liquide : c'était attendu, car on savait que les ions cuivre, électriquement chargés, peuvent former des complexes avec certaines protéines du blanc d'œuf, telle la conalbumine (encore nommée ovotransferrine parce qu'elle se lie aux ions fer dans les systèmes biologiques).

## Cuivre et protéines

La formation de complexes modifie-t-elle la taille des bulles dans les mousses ? Les études de mousses au microscope n'ont montré aucun changement net de la structure des blancs en neige avec cuivre : il fallait chercher des effets plus subtils. Notamment la possibilité que les ions cuivre modifient les propriétés de surface.

L'une de ces propriétés est la tension de surface, c'est-à-dire l'énergie qu'il faut dépenser pour augmenter l'aire d'une interface entre un liquide et un gaz. Si les blancs en neige moussent, quand on les bat, c'est précisément que les protéines réduisent la tension de surface entre l'eau et l'air : le cuivre, en se liant aux protéines, pouvait modifier cette énergie. Les mesures, toutefois, n'ont montré aucune différence pour les échantillons avec ou sans cuivre.

Restaient les autres caractéristiques des interfaces : l'élasticité et la viscosité dilatationnelles, qui caractérisent la façon dont les interfaces réagissent à des perturbations, notamment quand on augmente et réduit alternativement leur aire à l'aide d'un anneau vibrant.

Les physico-chimistes ont ainsi découvert que les échantillons sans cuivre ont, aux faibles fréquences (celles des perturbations destructrices de bulles de l'environnement), un module d'élasticité de surface bien inférieur à celui des échantillons avec cuivre : les bulles, plus rigides, se conservent mieux. Cet effet s'explique par la formation, déjà observée, de complexes entre les ions cuivre et les molécules de conalbumine réparties en un réseau à la surface des bulles d'air du blanc. Donc l'effet est là : le cuivre stabilise la mousse en raidissant la peau des bulles.

# La meringue italienne

**Elle n'est réussie que si le sirop versé dans les blancs d'œufs est cuit à moins de 127 degrés.**

La meringue française est classique : des blancs d'œufs sont battus en neige ; puis, toujours en les battant, on ajoute du sucre jusqu'à ce que le fouet tourne difficilement dans la masse mousseuse. On dépose alors cette masse sur une plaque de four, et l'on cuit, d'abord à four très chaud, afin de former une croûte superficielle, puis à four très doux : il s'agit de sécher partiellement l'intérieur sans que l'extérieur ne brunisse. Toutefois d'autres procédés donnent d'autres meringues, telle la meringue italienne, que l'on obtient en ajoutant un sirop très chaud à du blanc d'œuf battu en neige. Au Laboratoire de chimie du Collège de France, avec Raphaël Haumont, nous avons étudié l'effet de la température de cuisson du sirop sur le résultat obtenu.

Quand on veut en recouvrir un gâteau, une tarte par exemple, la meringue italienne a l'avantage de donner un résultat plus fiable que la meringue française. En effet, quand on couvre la tarte, avant cuisson, de blancs battus et sucrés (meringue à la française), une unique opération de cuisson doit cuire la tarte et la meringue qui la recouvre : par le seul choix de la température du four et de la durée de cuisson, on parvient difficilement à une tarte cuite à point et à une meringue de couleur et de texture appropriées. D'où l'intérêt de la meringue italienne : les pâtissiers cuisent d'abord la tarte et ils la recouvrent ensuite de meringue italienne, obtenue indépendamment.

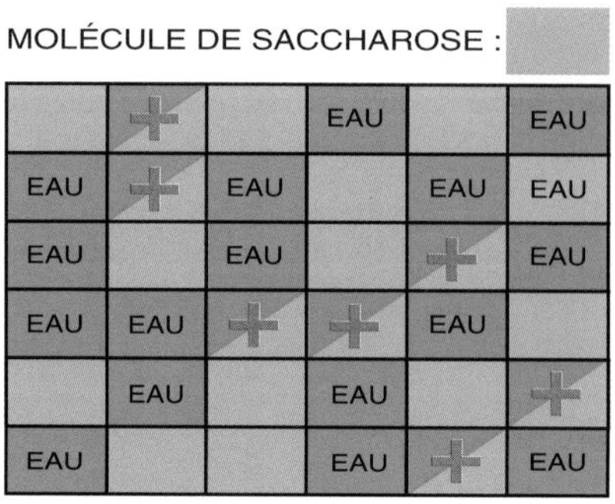

Cette meringue italienne fait néanmoins intervenir de remarquables phénomènes physiques et chimiques. En pratique, on bat du blanc d'œuf en neige et, à part, on cuit du sucre avec un peu d'eau ; quand le sirop est « à point », on le verse sur le blanc battu, en continuant de fouetter, jusqu'au refroidissement. Le terme « à point » mérite quelques commentaires, car c'est la clé de la réussite.

Examinons d'abord la cuisson du sirop, en mesurant sa température et en observant les transformations qui apparaissent aux divers stades de la cuisson. D'abord, la solution de sucre est transparente, et son bouillonnement ressemble à celui de l'eau : la température est alors de l'ordre de 100 °C. Puis, le liquide semble plus épais quand la température atteint 103 à 105 °C : c'est le « petit filé ». Quand on poursuit la cuisson, la température continue d'augmenter : entre 106 et 110 °C, au « grand filé », le sirop forme quand il est étiré un filet qui atteint cinq millimètres avant de

MOLÉCULE DE SACCHAROSE :

| | + | | EAU | | EAU |
|---|---|---|---|---|---|
| EAU | + | EAU | | EAU | EAU |
| EAU | | EAU | | + | EAU |
| EAU | EAU | + | + | EAU | |
| | EAU | | EAU | | + |
| EAU | | | EAU | + | EAU |

rompre. Puis le sirop se couvre en surface de bulles rondes, entre 110 et 112 °C (« petit perlé ») et, entre 113 et 115 °C, une écumoire plongée dans le sirop, puis retirée, laisse apparaître des bulles quand on souffle à travers. Le « petit boulé » (116 à 125 °C) correspond à l'état où une goutte de sirop, déposée dans l'eau froide, forme une boule molle. Au « grand boulé » (126 à 135 °C), la boule est plus dure. Puis, vers 136-140 °C, c'est le « petit cassé » : la goutte de sirop durcit dans l'eau froide, mais colle aux dents. Enfin, au « grand cassé », entre 145 et 155 °C, la goutte devient dure et cassante, sans coller ; le sirop se colore en jaune paille, parce que le saccharose se dégrade et commence à caraméliser.

Les recettes de meringue italienne préconisent de verser le sirop dans le blanc battu en neige, tout en battant, quand celui-ci est « au petit boulé ». Pourquoi ? Avec R. Haumont, nous avons justifié et précisé ce conseil alors que nous explorions la physique des matériaux alimentaires craquants. Pour obtenir des matériaux craquants simples, nous coulions les sirops cuits à diverses températures sur un bloc métallique refroidi, et obtenions des échantillons dont nous mesurions les caractéristiques mécaniques. Notamment, nous nous intéressions à la transition entre deux états : quand le sirop est porté à 127 °C, le solide qui est obtenu par brusque refroidissement est mou ; au contraire, les sirops portés à plus de 127 °C conduisent à des solides vitreux, durs, craquants.

Dans les deux cas, on obtient un matériau vitreux : sa viscosité est si grande que les molécules ne peuvent s'empiler régulièrement selon un cristal. Toutefois, pour les sirops portés à plus de 127 °C, la quantité de molécules d'eau est si réduite que

les interactions entre molécules de saccharose se font sentir ; l'eau, qui est un plastifiant, ne suffit plus à jouer ce rôle et le sirop refroidit est cassant.

Cet effet intéresse les pâtissiers. Les meilleurs d'entre eux disent que le sirop utilisé pour une meringue italienne doit être porté au « petit boulé ». Pourquoi ? Nos expériences l'indiquent : quand le sirop est insuffisamment chauffé, il se disperse bien dans le blanc d'œuf battu, qu'il fait gonfler en évaporant une partie de son eau, mais il conduit alors à une mousse peu stable, car le liquide qui sépare les bulles d'air n'est alors pas assez visqueux pour maintenir la cohésion de la mousse. En revanche, le sirop trop chauffé, quand il est versé dans le blanc en neige, produisant des blocs durs et cassants, qui ne se dispersent pas bien dans le blanc d'œuf battu.

Autrement dit, l'analyse du craquant des sirops vitrifiés précise indirectement un geste ancien : pour faire de la bonne meringue italienne, ne dépassons pas la température de 127 °C… et préoccupons-nous d'observer attentivement le sirop qui cuit : la meringue est un art dont le résultat est succulent. Comme le disait Pierre Dac : « De tous les arts, l'art culinaire est celui qui nourrit le mieux son homme. »

# Le trouble du pastis

**L'alcool trouble les sens, l'eau trouble certaines essences, comme l'anéthole du pastis, ainsi que le mesurent les faisceaux de neutrons.**

*L'idée lui vint de faire les absinthes, et il commença de les mouiller, délicatement, goutte par goutte, élevant de temps en temps à la hauteur de ses yeux le verre où l'alcool, peu à peu, se colorait sous l'action de l'eau, décomposé en longues spirales nuageuses.*

Courteline, *Le train de 8 heures 47.*

h, ce léger trouble qui survient quand l'eau ajoutée au pastis promet une désaltération proche ! Le pastis n'a pas l'apanage de cette opacification : se troublent aussi le sirop d'orgeat, ou encore l'absinthe, dont la couleur verte prenait naguère une teinte blanche... Pourquoi ce trouble ? Pourquoi ces changements de couleur ? À l'Institut Laue Langevin de Grenoble, Isabelle Grillo a utilisé un spectromètre de diffusion de neutrons aux petits angles pour répondre à ces questions dans le cas du pastis.

Le pastis du joueur de pétanque est principalement composé d'eau (55 pour cent en volume), d'alcool éthylique (45 pour cent en volume), d'anéthole (environ deux grammes par litre) et de divers composés qui contribuent au goût du breuvage. Contrairement à ce que son nom indique aux chimistes (les alcools ont une désinence en – ol), l'anéthole n'est pas un alcool, mais une molécule aromatique, déjà utilisée dans l'Antiquité pour ses vertus thérapeutiques ou pour parfumer les aliments et les produits de beauté.

L'anéthole est extrait des graines d'anis et de fenouil. C'est un liquide légèrement jaune, très odorant, soluble dans l'alcool éthylique et très peu soluble dans l'eau : les molécules d'eau s'attirent fortement et ne se lient que faiblement avec les molécules d'anéthole ; aussi ne les retiennent-elles pas en leur sein et les molécules d'eau et les molécules d'anéthole constituent-elles des phases séparées. En revanche, les molécules d'alcool ont autant d'attirance pour l'anéthole que pour leurs congénères et les dissolvent en leur sein. Dans la bouteille de pastis, la concentration en alcool est suffisante pour que l'influence solubilisatrice de ce corps soit prépondérante : l'anéthole reste dissous et le breuvage est transparent. Quand on ajoute de l'eau, l'alcool qui est soluble dans l'eau se lie à l'eau, formant une solution majoritairement aqueuse, et l'anéthole, qui se trouve au sein de cette solution, s'en sépare, formant des gouttelettes, qui sont cause de nébulosité.

## Couleur des émulsions

Le lait, la crème, la sauce mayonnaise sont également des émulsions ; leur couleur est due à la réflexion de la lumière sur la surface des gouttes dispersées dans l'eau.

La lumière se réfléchit aussi à la surface des gouttes microscopiques d'anéthole ; de ce fait, l'œil voit de la lumière blanche (si la source est blanche) issue du breuvage. En outre, les gouttelettes d'anéthole, beaucoup plus petites que celles formées avec les corps gras et de la taille de la longueur d'onde de la lumière, diffusent la lumière. En effet, la lumière, qui est une propagation d'un champ électrique et d'un champ magnétique, excite les électrons du matériau qu'elle traverse ; ceux-ci rayonnent (diffusent) dans toutes les directions. Au total, le milieu est nébuleux, car la lumière n'est plus transmise, mais totalement diffusée, et on ne voit plus les objets derrière la solution. Sur la photographie ci-contre, le pastis est dilué cinq et dix fois : la nébulosité augmente avec la dilution.

Pour corroborer la théorie, il fallait mesurer la taille des gouttelettes. Pour les émulsions telles que la mayonnaise, où les gouttes sont grosses (de l'ordre du dixième de millimètre), les observations ne nécessitent qu'un microscope optique (les grosses gouttes réfléchissent la lumière). Pour le pastis, en revanche, I. Grillo a dû utiliser des neutrons diffusés à de petits angles, afin de détecter les gouttelettes d'anéthole. La diffusion de neutrons aux petits angles est une technique puissante que les physico-chimistes utilisent pour observer la forme et l'organisation d'objets ayant des tailles comprises entre quelques nanomètres (ou milliardièmes de mètre) et quelques dix-millionnièmes de mètre. Lors des mesures, le comportement nébuleux du composé pur après l'ajout d'eau et d'alcool éthylique a été comparé à celui du pastis vendu dans le commerce. Comme il est recommandé par le fabricant de diluer le pastis par cinq fois son volume, cette dilution a été étudiée, et comparée à une dilution double.

La diffusion de neutrons a révélé que les gouttes d'anéthole ont un rayon proche d'un demi-micromètre, à la température ambiante et juste après la préparation de la boisson-échantillon. Le rayon d'une goutte ne dépend pas de la concentration en anéthole, mais celui du pastis modèle est un peu plus gros que celui du pastis réel. Avec le temps, c'est-à-dire après 12 heures pour l'expérience menée, les gouttes d'anéthole grossissent d'un tiers environ. Ces études ont testé également l'effet de la température sur la taille des gouttelettes d'anéthole : le diamètre double lorsque la température passe de 10 °C à 40 °C (mais qui aurait l'idée de se rafraîchir avec une boisson à cette température ?), ce qui corrobore l'idée selon laquelle une fusion de gouttelettes voisines (favorisée par l'agitation thermique) engendre des structures de plus en plus grosses.

Les tailles, toutefois, restent suffisamment petites pour diffuser la lumière, et c'est seulement une sédimentation qui viendra définitivement à bout de l'émulsion… mais le breuvage sera bu bien avant, puisque, à la température ambiante, il faut plus de deux jours pour que la boisson redevienne claire !

# Les bulles dans les fibres

**Les bulles du champagne naissent surtout dans les fibres textiles, qui restent sur la paroi des verres.**

La science ne démontre rien, car sa mission – la recherche des mécanismes des phénomènes – n'est pas la production de théories, mais la réfutation de « modèles », sortes de simplifications de la vérité : paradoxalement, ce travail de sape conduit au progrès de la connaissance ! Un cas d'école est l'étude des bulles de champagne. On a commencé par comprendre que les bulles naissaient à la surface des verres. Puis cette idée a été précisée, par l'observation de quelques bulles sur les éventuels « voltigeurs », ces particules qui sont parfois en suspension dans le breuvage effervescent. La question n'est toutefois pas de savoir si les bulles naissent sur les parois ou sur ces voltigeurs, mais de déterminer combien de bulles naissent dans un cas ou dans l'autre !

## Sic itur ad astra

Puis, dans le livre *Casseroles et éprouvettes* (Éditions Pour la Science, 2005), nous avons relaté comment une équipe de *Saint-Gobain Recherche* avait étudié la surface des verres, à la recherche d'éventuels défauts du verre, où seraient nées les bulles : on imaginait des crevasses... telles les gravures, faites intentionnellement celles-ci, au fond des verres.

Le mécanisme aurait été le suivant : le versement du champagne dans les verres aurait laissé des poches de gaz, dans ces crevasses et fissures. Or la pression de ce gaz, égale à la pression atmosphérique, est inférieure à la pression du dioxyde de carbone dissous dans le liquide ; aussi le gaz dissous aurait migré vers ces poches, qui auraient gonflé, formant finalement des bulles qui se seraient détachées. Le détachement de ces bulles laissant du gaz dans les fissures, du gaz dissous serait revenu enrichir les poches, formant une nouvelle bulle, et ainsi de suite.

En réalité, le travail effectué à *Saint-Gobain Recherche* avait montré que la surface du verre est lisse (à l'échelle considérée) et que les bulles semblaient naître sur des particules minérales (tartrates, carbonates) ou sur des fibres textiles. Dans ce nouveau modèle (toujours faux, c'est une antienne), on imaginait que les dépôts minéraux et les fibres de tissu formaient les aspérités nécessaires à la croissance des bulles.

L'emploi d'une caméra ultrarapide a réfuté à nouveau le modèle : au Laboratoire d'œnologie de Reims, Cédric Voisin, Gérard Liger-Belair et Philippe Jeandet ont montré que les croissances de bulles se font surtout, non pas sur les fibres, mais dans celles-ci : les fibres textiles sont creuses, et le versement du champagne dans les flûtes où ces fibres sont venues se coller

aux parois laisse des poches dans les fibres. L'analyse informatique des images produites par un système expérimental où la caméra est couplée à un microscope a révélé que le gaz diffuse probablement par les parois des fibres creuses.

## Les fibres, essentielles

Ces fibres doivent être considérées comme des ensembles de microfibrilles, où le gaz dissous dans le liquide diffuse. Il vient alors enrichir les bulles restées coincées dans les fibres, de sorte que les poches de gaz de l'intérieur des fibres (il y a généralement une poche par fibre) grossissent et finissent par « déborder » des fibres : une bulle se détache alors, laissant une poche de gaz dans la fibre, qui peut à nouveau grossir et engendrer une bulle. Tout cela en quelque cinq millisecondes !

Comment la bulle se détache-t-elle de la poche de gaz restée dans la fibre ? La théorie n'est pas aboutie, mais une hypothèse serait que joue l'effet Rayleigh (du nom du physicien anglais), selon lequel une interface telle que celle qui sépare le champagne du gaz se minimise. C'est, à l'envers, le même effet que celui qui dissocie une gaine régulière de rosée déposée sur un fil d'araignée, au petit matin, en une succession de gouttelettes : la surface totale eau/air est inférieure quand les gouttelettes sont formées. Ici, la surface est réduite quand la bulle se forme.

Détachée, la bulle monte enfin vers la surface. Ne manquez pas de la contempler, la prochaine fois que vous aurez l'heur de déguster le breuvage attribué au moine Pierre Pérignon : vous verrez que le mouvement n'est pas vertical. En effet, le mouvement d'une bulle dans le liquide perturbe ce dernier, qui dévie la bulle suivante du train de bulles partant d'une fibre particulière. D'autre part, la paroi, aussi, modifie le mouvement ascendant des bulles, qui forment des trains inclinés. Les mystères, toutefois, ne sont pas moindres. Par exemple, le suivi des montées de bulles révèle que les molécules tensioactives qui sont à la surface des bulles (protéines, peptides…) sont poussées vers le bas des bulles, au cours de la montée de celles-ci. L'étude est difficile, car l'analyse de quelques molécules présentes à une interface défie les moyens d'analyse les plus modernes. Il y a un monde dans une coupe de champagne.

# Couleur et goût des Porto

**Les pigments qui donnent leurs couleurs aux baies de raisin se transforment avec le temps pour conférer au Porto un bouquet particulier.**

Quels rapports entre le ramage et le plumage, entre le goût et la couleur des choses, notamment des vins ? Des expériences de coloration en rouge de vins blancs de Bordeaux ont montré que nous sommes influencés par la couleur des aliments. Toutefois, la vue n'est pas le fin mot du goût : les molécules odorantes ou sapides peuvent être aussi colorées. Dans le cas des Porto, il y a mieux : certaines molécules qui confèrent au liquide de la couleur se transforment, engendrant des molécules odorantes, qui contribuent à leur bouquet.

## Comment bien peindre

Les collégiens n'échappent pas à l'expérience qui consiste à broyer des feuilles d'épinard, à déposer une goutte de l'extrait au bas d'une feuille de papier-filtre, puis à humecter le pied de ce papier-filtre avec un solvant, tel que l'éther de pétrole. Dans cette chromatographie, l'éther de pétrole monte par capillarité dans le papier-filtre et entraîne les pigments. Ceux-ci, différemment retenus par le papier en fonction de leur composition chimique, sont plus ou moins entraînés et forment des taches de couleur séparées. Certaines des taches – vertes – sont dues aux molécules de chlorophylles (il en existe deux types dans les épinards), mais d'autres, dans des tons plus chauds, sont dues à des pigments caroténoïdes. Parmi ceux-ci, on distingue les carotènes, orange à rouges, et les xanthophylles (du grec *xanthos*, jaune). Autrement dit, la couleur verte des végétaux verts n'est pas due seulement aux chlorophylles, mais à l'ensemble des pigments présents dans ces végétaux ; avis aux peintres !

De même, la couleur des raisins n'est pas uniquement due aux molécules dites anthocyanes, comme on l'a longtemps cru : divers caroténoïdes abondent durant la formation des baies de raisin jusqu'au stade où ces dernières commencent à perdre leur couleur verte. Leur concentration diminue alors beaucoup et d'autres molécules (xanthophylles) apparaissent.

Ces dernières années, les variations de la composition des baies de raisin en pigments ont été beaucoup étudiées : en fonction du cultivar, de la région de culture, de l'exposition à la lumière et de l'état de maturité... Par exemple, les concentrations en caroténoïdes dans les baies sont supérieures dans les régions chaudes. L'observation est importante pour les amateurs de Porto, car la maturation des baies s'accompagne de la dégradation des caroténoïdes et de l'apparition de molécules dérivées odorantes – les norisoprénoïdes –, responsables du bouquet typique de certaines variétés de raisin.

Maria Manuela Mendes-Pinto et ses collègues de l'Université catholique de Porto et de la Station INRA d'Avignon ont précisé les premiers résultats, en étudiant par chromatographie les pigments des raisins utilisés dans les vins de Porto produits dans la région du Douro. Dans leurs analyses, les chimistes ont cherché les pigments et aussi les composés odorants que ces pigments engendraient.

## De la chlorophylle dans les vins

Dans les Porto, une première étude avait montré la présence de très petites quantités de caroténoïdes. La nouvelle étude vient de retrouver huit caroténoïdes dans un Porto âgé d'un an, et six dérivés des chlorophylles. En revanche, ces molécules manquaient à l'appel dans les vins de la région du Douro : les chimistes supposent que les différences de procédé de production des vins et des Porto expliquent les dissemblances. En effet, le Porto est un « vin de liqueur » élaboré par adjonction d'alcool en cours de fermentation alcoolique, ce qui interrompt cette dernière ; l'éthanol facilite la solubilisation des pigments, souvent peu solubles dans l'eau. En revanche, dans les vins, les micro-organismes de la fermentation complète des vins dégraderaient, semble-t-il, les caroténoïdes ou les chlorophylles.

La présence dans les jeunes Porto de caroténoïdes et de chlorophylles ou de leurs dérivés est un élément du goût final du produit, parce que ces molécules sont transformées en molécules odorantes qui déterminent le bouquet du breuvage.

## Un précurseur de composés odorants

Cette hypothèse a été testée par l'analyse de Porto que les expérimentateurs ont vieilli de façon accélérée : les chimistes ont comparé un Porto témoin au même Porto oxygéné à trois températures (20, 40 et 60 °C). Ces analyses ont montré, par exemple, qu'un pigment xanthophylle, la lutéine, se dégrade plus que le carotène bêta, quelles que soient la température et la teneur en oxygène. La dégradation de la lutéine s'effectue à vitesse constante, et certaines molécules volatiles résultent de sa transformation : on les trouve dans les vieux Porto, tandis que les jeunes Porto sont plus riches en caroténoïdes et en dérivés des chlorophylles.

Vous voulez que vos Porto aient un bouquet remarquable ? Vous savez maintenant ce qu'il vous reste à faire.

# Détournement de cocottes

**La distillation des alcools est réglementée, mais pas celle des jus, bouillons, fonds ou confitures. Distillons pour garder le parfum des fruits.**

L'odeur des confitures change en cours de cuisson. La fraise, par exemple, prend une odeur « compotée », le cassis une odeur terreuse. Cuisiniers et cuisinières incriminent la caramélisation du sucre, au fond de la bassine... mais Camilla Varming, Mogens Andersen et Leif Poll, de l'Université de Frederiksberg, au Danemark, ont montré que les changements d'odeur du jus de cassis sont dus à des pertes évitables de molécules odorantes et à des réactions favorisées par l'acidité et la chaleur.

Le cassis est un fruit important : on en fait des jus, des sirops, des gelées, des confitures, des crèmes... Dans la plupart de ces productions, les fruits de cassis sont chauffés et l'odeur change : tout traitement du fruit en change le goût, parce qu'il s'accompagne de modifications des concentrations en molécules odorantes.

## Pertes de fraîcheur

Dans le cassis, plus de 120 molécules odorantes ont été identifiées. Parmi elles, figurent des esters, résultant de la liaison d'un acide carboxylique (une molécule qui porte le groupe –COOH) et d'un alcool (avec le groupe –OH) ; ces esters sont généralement volatils, parce que l'association du groupe acide avec le groupe alcool diminue leur affinité pour les molécules d'eau qui forment l'essentiel des baies. Sont également abondants des alcools et des « terpènes », molécules omniprésentes dans le règne végétal.

Lors du chauffage, les molécules peu solubles dans l'eau et de faible masse moléculaire sont vite perdues par évaporation. D'autres molécules peu solubles dans l'eau, mais plus lourdes, sont entraînées par la vapeur d'eau. À l'équilibre, ces molécules se répartissent entre le jus et l'air qui le surmonte ; toutefois la vapeur d'eau formée lors du chauffage entraîne avec elle la partie de ces molécules qui est passée en phase gazeuse, de sorte que de nouvelles molécules lourdes sortent de la solution pour rétablir l'équilibre entre le liquide et le gaz, sont entraînées, et ainsi de suite. Parallèlement, les concentrations en certaines molécules odorantes augmentent au cours du chauffage.

C. Varming et ses collègues danois ont chauffé les jus dans des récipients clos à différentes températures. De courts chauffages (80 °C pendant 4 minutes) modifient peu l'odeur, tout comme la pasteurisation à 88 °C pendant 27 secondes : les dégustateurs ne perçoivent pas de différence entre les jus peu chauffés et des jus frais. En revanche, lors des cuissons à 100 °C, les différences sont notables. Les analyses chimiques ont corroboré ces observations en montrant quelles molécules ou classes de molécules étaient diminuées ou augmentées.

Le cas des esters est le plus simple : leurs concentrations diminuent par évaporation au cours du chauffage. Les alcools aussi, mais leur réactivité accentue leur disparition. Pour d'autres classes, les interprétations sont plus

difficiles : on sait, par exemple, que des pyrazines sont formées lors des dégradations thermiques des acides aminés (il y en a dans les baies de cassis) et, d'autre part, que les pigments végétaux nommés caroténoïdes se dégradent à la chaleur, formant des molécules comme la bêta-ionone (odeur de violette) ou la bêta-damascénone. Dans les cassis, les monoterpènes qui portent des groupes alcool sont souvent fusionnés à des sucres ; lors du chauffage dans le milieu acide du cassis, des hydrolyses libèrent à la fois terpènes et sucres, etc.

## Même dans les cuisines

Comment traiter vos fruits, lors de vos prochaines manipulations culinaires ? Le plus simple est d'utiliser un couvercle : une odeur dans la cuisine est un symptôme d'une perte de molécules odorantes (logiquement les cuisines ne devraient pas sentir bon, car on serait alors assuré que les parfums agréables restent dans les marmites). De plus, ceux qui disposent d'une cocotte-minute pourront ôter la soupape de sécurité et fixer sur l'ajutage un tuyau de caoutchouc qui sera refroidi par quelques tours dans une bassine d'eau froide, laissant goutter dans une carafe la vapeur d'eau et les molécules odorantes qui auront été entraînées : ces molécules formeront une petite goutte d'huile essentielle, qui mérite la plus haute considération gourmande.

Hélas, la distillation des vapeurs, la récupération des huiles essentielles et leur réintroduction dans les jus ne suffisent pas à donner aux jus cuits le goût de frais : des molécules ont été transformées irréversiblement par la chaleur.

Les chimistes danois ont proposé une solution industrielle, fondée sur le fait que les analyses sensorielles n'ont pas montré de différences perceptibles entre des jus chauffés à 60 °C pendant 30 ou 60 minutes et les jus pasteurisés. Leur proposition est donc de distiller sous vide, à moins de 60 °C. Pour faire nos confitures, essayons de distiller par chauffage les fruits sous pression réduite, en utilisant, par exemple, une trompe à vide.

CHAPITRE 7

# De la cuisine moléculaire au constructivisme culinaire

Au terme de ce grand tour au royaume de la cuisine, nous avons quelques pistes pour décider du futur (au moins le futur proche) de notre cuisine. Ce qui est avéré, c'est que les télévisions, les radios, les journaux ne cessent de montrer une nouvelle « mode », qui a suivi la nouvelle cuisine et la cuisine fusion, à savoir la cuisine moléculaire. De quoi s'agit-il ?

Dans les années 1980, quand la gastronomie moléculaire fut créée, son programme était, je l'ai dit, erroné, parce que nous confondions la science et ses applications. Notamment, nous voulions introduire en cuisine de nouveaux ingrédients, ustensiles, méthodes, inventer des mets nouveaux. Longtemps, la confusion a persisté, ce qui a conduit à la promotion d'une forme de cuisine « technologique », qui a effectivement fini par employer des gélifiants nouveaux, des « additifs », des colorants, des compositions ou des extraits odoriférants (ce que l'on cessera d'appeler « arôme » j'espère bientôt, car un arôme est une odeur d'une plante aromatique, et rien d'autre), des matériels nouveaux, pour filtrer, distiller, chauffer, refroidir (l'azote liquide !)...

Cette forme de cuisine n'est pas la gastronomie moléculaire, puisque cette dernière est une science, mais elle en découle, et les journalistes ont fini par la nommer « cuisine moléculaire ». Elle est une mode, ce qui signifie qu'elle passera. Elle n'est pas inutile, puisqu'elle a correspondu au moment de l'histoire de la cuisine où les cuisiniers ont finalement accepté de rénover leurs pratiques, de modifier leurs ingrédients, leurs ustensiles, leurs méthodes.

Quelle nouvelle tendance y aura-t-il ensuite ? La « cuisine note à note », qui se propose de composer les mets molécule par molécule (ou, plus exactement, composé par composé), au lieu d'utiliser les mélanges complexes que sont les ingrédients classiques (carottes, viandes, œufs, etc.), pourrait se développer dès aujourd'hui, et il existe déjà quelques cuisiniers, dans le monde, qui pratiquent cette cuisine nouvelle. Toutefois, si la gamme des possibilités est immense, si le nouveau territoire à explorer est gigantesque, il n'est pas dit que la tendance soit très intéressante, parce qu'elle est quasi « combinatoire », et que la combinatoire n'a jamais apporté de sens : des singes tapant sur des machines à écrire ont effectivement une probabilité non nulle d'obtenir l'*Odyssée*, mais il y aura du déchet.

Le « constructivisme culinaire » semble une tendance plus prometteuse : il s'agit de construire les mets, en vue d'obtenir des effets gustatifs prédéterminés. Ici, plus de nécessaire reprise des idées traditionnelles, mais une mise en œuvre culinaire qui conçoit tout le plat, en se fondant sur des lois physiologiques, sur des habitudes culturelles, etc. La construction doit concerner les formes, les couleurs, les odeurs, les saveurs, les températures... tous les aspects des mets... en vue de donner du bonheur, puisque c'est là un objectif qui vaut le travail de la cuisinière ou du cuisinier !

# La naissance des dictons culinaires

**Les dictons naissent-ils quand les recettes sont difficiles à mettre en œuvre et risquent de rater ?**

Pourquoi dit-on encore aujourd'hui, au moment où l'humanité envoie des sondes vers Mars, que les règles féminines font rater les mayonnaises ? Ou que les blancs en neige montent mieux quand on les bat toujours dans le même sens ? Sans doute, parce que la cuisine s'est développée empiriquement. Une étude des dictons, proverbes, pratiques culinaires semble révéler que les recettes qui risquent de rater sont les plus abondamment décrites. Peut-on tester cette hypothèse ?

Les millions de Français qui cuisinent perpétuent des gestes anciens, exécutent des recettes séculaires, propagent des croyances médiévales... Rien d'étonnant : la cuisine est la mise en œuvre de transformations physiques et de réactions chimiques, et l'art est difficile. Dès 1742, le cuisinier Marin écrit : « La science du cuisinier consiste à décomposer, à faire digérer et à quintessencier les viandes, à tirer les sucs nourrissants et légers. Cette espèce d'analyse chimique est en effet tout l'objet de notre art. » Certes, mais comment pratiquer à bon escient cette « espèce d'analyse » ?

On sait aussi que les réactions chimiques engendrent parfois des composés dangereux. D'où la question : si la cuisine met en œuvre de la chimie, et si la chimie présente des dangers, à qui faut-il confier la confection des aliments ? Aux chimistes, qui connaissent les dangers de leur science, mais pas notre culture alimentaire ? Aux cuisiniers, qui ne maîtrisent pas la science des réactions ? L'histoire a tranché : la cuisine cherche à éviter les dangers de la chimie en répétant des recettes qui ont été éprouvées. Voilà pourquoi les livres

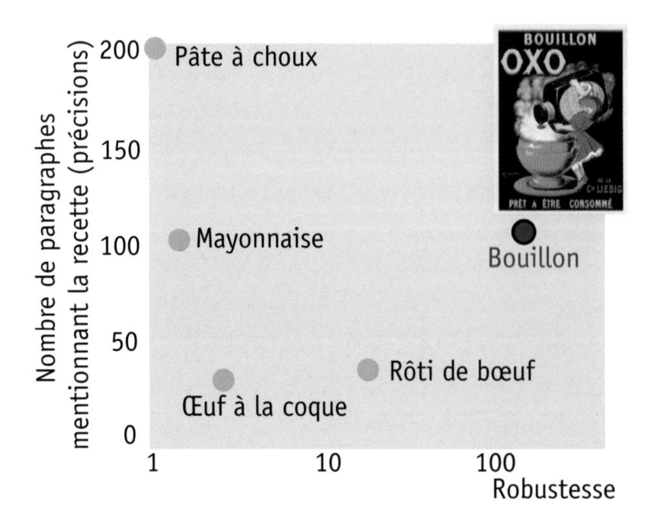

de recettes évoluent peu ; voilà pourquoi, alors qu'un livre de chimie de plus de dix ans est dépassé, les cuisiniers d'aujourd'hui reprennent encore des formulations qui datent de la Renaissance, voire de leurs ancêtres romains.

## Recettes fragiles, accumulation empirique ?

Ce conservatisme explique que les dictons, proverbes, tours de main... se soient perpétués, même quand ils semblent faux. Il n'explique toutefois pas pourquoi ces dictons sont nés. Examinons une recette de compote de poires, prise dans un livre de 1905 : « Prenez une dizaine de **poires** de moyenne grosseur, pelez-les et mettez-les au fur et à mesure dans l'**eau** froide. Faites fondre ensuite à feu doux dans un poêlon 125 grammes de **sucre** en morceaux avec un peu d'eau : dès que le sucre est fondu, placez-y les poires, arrosez-les de jus de citron si vous désirez que les poires restent blanches ; si vous les préférez rouges, il ne faut pas ajouter de jus de citron, et il est indispensable de les **cuire** dans une casserole de cuivre étamé. » Dans ce texte, des mots sont en gras : ce sont les définitions (environ huit pour cent). D'autres sont soulignés : ils sont techniquement inutiles. Le reste est constitué de « précisions », justes ou fausses, catégorie dans laquelle figurent les tours de main, dictons, proverbes...

## Hypothèse réfutée

On pourrait supposer que ces précisions naissent en proportion inverse de la « robustesse » des recettes, c'est-à-dire en fonction inverse de la difficulté de réalisation. Ce serait une affirmation plausible, comme celles dont sont constitués les livres de cuisine. Pour la vérifier, mesurons cette robustesse. Par exemple, pour un rôti de bœuf de un kilogramme, la cuisson à 180 °C devra durer entre 20 et 60 minutes. L'intervalle admissible, pour la durée de cuisson, est ainsi de 40 minutes. S'il était plus court que les possibilités d'intervention ne le permettent, la recette risquerait de rater. En l'occurrence, le cuisinier est ici à l'aise, puisque sortir un rôti du four prend moins de une minute.

Ce sont ces deux valeurs dont il faut tenir compte pour évaluer la robustesse : on obtient un nombre sans dimension (comparable à des robustesses relatives mesurées éventuellement avec d'autres paramètres), en divisant l'intervalle admissible pour un paramètre (ici le temps de cuisson) par la plus petite action possible (ici la durée d'intervention). Pour le rôti de bœuf, la robustesse relative au temps de cuisson sera finalement de (60 - 20)/1, soit 40.

La figure montre les précisions recueillies dans 348 livres de cuisine français, publiés entre 1310 et aujourd'hui, en fonction de la robustesse ainsi calculée de différentes recettes. Le nombre de précisions varie, comme prévu, à peu près à l'inverse de la robustesse... sauf pour le bouillon !

Le bouillon se singularise, parce que, « âme des ménages », il entre dans la confection des consommés, des soupes, des fonds, des sauces, que l'on y cuit les légumes afin de leur donner du goût... Il faisait l'introduction de tous les livres de cuisine (et on pouvait aussi l'acheter tout prêt). Pas étonnant qu'il ait suscité tant de précisions, dictons ou autres moyens mnémotechniques, qui naissent dans deux cas : quand les recettes peuvent rater et quand elles sont vitales.

# La cuisine épaule la chimie

**La mesure de l'acidité peut se faire à l'aide de produits alimentaires. Pourquoi ne pas en tirer parti dans les laboratoires ? La chimie sera vraiment de la cuisine...**

Les lentilles cuites dans une eau dite « calcaire » ne s'amollissent que très difficilement, voire pas : les ions calcium présents dans ce type d'eau pontent les molécules de pectines qui sont dans les parois végétales, ce qui bloque l'amollissement. L'effet est facile à vérifier : prenons deux casseroles, l'une d'eau distillée, l'autre d'eau additionnée d'ions calcium, et chauffons ; après une demi-heure de cuisson, les lentilles dans l'eau distillée sont en purée, tandis que l'autre casserole ne contient que de petites graines dures.

D'où l'intérêt du bicarbonate de sodium en cuisine : il fait précipiter du carbonate de calcium, ce qui permet aux lentilles de cuire en l'absence des délétères ions calcium, et, d'autre part, il contribue à charger électriquement les molécules de pectines, qui, se repoussant, contribuent à l'amollissement. Hélas, le bicarbonate est difficile à doser, et, en excès, il donne aux lentilles un détestable goût de savon. Comment éviter la catastrophe ? En neutralisant la solution à l'aide d'un acide, qui peut être du vinaigre, du jus de citron, etc. La question culinaire devient alors : combien faut-il ajouter de vinaigre ?

## L'acidité en bouche n'est pas le *p*H

La dégustation est insuffisante, car notre bouche nous indique l'acidité en bouche, et non l'acidité réelle, comme le montre l'expérience qui consiste à goûter d'abord du vinaigre (*p*H égale à 2-3 environ, pouah !), puis le même vinaigre additionné d'une grande quantité de sucre : le *p*H ne change pas, mais la solution perd son acidité en bouche.

Pour répondre à la question de la neutralisation, les chimistes, dans leurs laboratoires, utiliseraient des indicateurs colorés : phénolphtaléïne, bleu de bromothymol... Toutefois, un premier rapprochement avec la cuisine est possible : les chimistes pourraient jouer de produits naturels qui ont des vertus indicatrices : par exemple, le thé vire du brun au jaune quand on ajoute du citron (et il redeviendrait brun si l'on ajoutait ensuite du bicarbonate), les composés phénoliques des fruits rouges virent du rouge au vert (avec des framboises, l'effet est saisissant) quand on les alcalinise avec de la soude... mais, alors, attention à ne pas les consommer.

Et si l'on est daltonien ? On verrait quand même des rondelles de fruits ou de légumes noircir quand elles sont coupées, parce que des enzymes libérées lors de la découpe modifient les molécules de polyphénols des tissus végétaux qui étaient séparées d'elles dans les cellules intactes.

Autrement dit, des molécules nouvelles peuvent apparaître... et servir d'indicateurs non colorés, mais visuels dans la mesure où le daltonien voit les nuances de gris.

Et si l'on ne voit pas, ou si l'on n'a pas le temps d'observer ? Pensons à l'olfaction. À l'Université de Caroline du Nord, Kerry Neppel, Maria Oliver-Hoyo, Connie Queen

et Nicole Reed ont cherché des systèmes analogues aux systèmes des polyphénols, mais odorants : existe-t-il des molécules modifiées chimiquement en molécules odorantes, les odeurs n'apparaissant que lors d'une modification du *p*H ?

## Titrations olfactives

Ces chimistes s'étaient fixé des conditions nécessaires : les produits odorants libérés lors d'une « titration acide-base » ne devaient pas être toxiques, ils devaient être précis, puissants et, si possible, d'odeur agréable. Les végétaux contiennent une foule de tels composés : les plantes du genre *Allium* (oignon, ail, échalote...), notamment, sont réputées. L'odeur de ces plantes n'apparaît que quand les tissus végétaux sont endommagés, condition pour que des enzymes libérées par l'endommagement des cellules transforment des précurseurs inodores en molécules odorantes.

Par exemple, l'alliine, molécule inodore de l'ail, est transformée par une enzyme nommée alliinase en une petite molécule nommée acide 2-propène sulfénique ; cette dernière subit une autocondensation qui engendre l'alliicine, précurseur odorant. Ce dernier se dissocie alors en plusieurs molécules soufrées, dont un disulfure qui est responsable de l'odeur d'ail. La réaction se fait en milieu neutre ou acide... mais pas en milieu basique. C'est gagné.

L'odeur d'ail nous indispose ? Utilisons l'oignon : les réactions sont analogues, mais alors l'acide 1-propène sulfénique instable conduit au précurseur odorant et à un composé lacrymogène, le S-oxyde de thiopropanal.

La mise en œuvre pratique de ces connaissances est simple : découpons l'oignon ou l'ail dans la solution basique, qui évitera à l'odeur d'apparaître. Puis ajoutons l'acide neutralisateur : au moment où l'odeur apparaît (on peut utiliser un petit ventilateur placé derrière la casserole), le cuisinier sait que la solution est neutralisée.

Et puis, si les alliacées nous dérangent, la gamme des molécules d'odeur sensible à l'acidité est vaste, puisque la vanilline de la vanille et l'eugénol du clou de girofle ont également des transitions perçues à des *p*H dans la gamme 6-8... mais nous devrons alors manger des lentilles à la vanille ou au clou de girofle !

# Est-il temps ? À vous de le dire !

**La cuisine utilise peu de composés chimiques définis et, ce faisant, elle gaspille beaucoup d'ingrédients. Quel oukase nous interdit-il de changer nos habitudes ?**

Une pomme coupée et laissée à l'air brunit, parce que des enzymes et des molécules de polyphénols libérées des cellules réagissent, formant des quinones réactives qui engendrent des composés bruns. Pour lutter contre ce phénomène, les cuisiniers ajoutent du jus de citron : l'acide ascorbique de ce liquide prévient le brunissement. Ne serait-il pas plus rationnel d'employer directement de l'acide ascorbique ? Succès de la gastronomie moléculaire, le citron est supplanté dans le grand livre de cuisine d'Alain Ducasse.

La voie étant ouverte, ne pourrions-nous pas poursuivre les avancées ? Pouvons-nous cuisiner avec des additifs et des colorants ? Utiliser des compositions aromatisantes ?

## Additifs ou ingrédients ?

Les additifs d'abord : la gélatine, indûment accusée de véhiculer des prions et de transmettre la maladie de la vache folle, est souvent remplacée comme agent de texture par des alginates, des carraghénanes, de l'agar-agar, des gommes... produits autrefois honnis parce qu'ils étaient des additifs ! Le message est patent : ce n'est pas parce qu'un produit « chimique » est pur qu'il est plus mauvais que le produit naturel impur.

Toutes les classes d'additifs ne sont pas également utiles. Si les agents de texture sont aujourd'hui « blanchis » par les cuisiniers, les conservateurs ne trouvent pas (encore ?) leur place dans des plats faits pour être consommés dans l'instant. Les antioxygènes sont parfois utiles (les pommes, bananes, champignons, avocats... brunissent). Les colorants ? Pour colorer ses plats, la cuisine utilise depuis longtemps le safran, la cochenille et diverses préparations pas toujours bien définies chimiquement. L'industrie alimentaire est plus réglementée, et la « chlorophylle » qu'elle emploie, par exemple, est bien plus pure que le « vert d'épinard » préparé par broyage de feuilles d'épinard, puis par cuisson à feu très doux, de sorte qu'une écume verte (le « vert d'épinard ») surnage au-dessus d'un jus brun. La cuisson de pâtes dans de l'eau colorée par des colorants naturels (eau jaunie par des peaux d'oignons, eau rougie par du chou rouge, eau bleuie par de la betterave...) ou artificiels (apocaroténal, bêta-carotène, chlorophylle, rocou...) ne suscite pas d'émoi. « L'article a passé », notait Brillat-Savarin.

Lors d'un Séminaire INRA de gastronomie moléculaire, le débat a fait rage : ce sont les compositions aromatisantes qui ont suscité le plus d'oppositions. Ces compositions sont des mélanges de molécules odorantes identifiées dans des produits naturels (l'estragol de l'estragon, le limonène du citron, la bêta-ionone de la violette), généralement extraites de produits végétaux et rassemblées par des aromaticiens, version alimentaire des « nez » de la parfumerie.

Peut-on nommer « arôme de fraise » un mélange qui sent bien la fraise ? Le débat touche le cœur du métier des cuisiniers, lesquels ne peuvent se résoudre à ce que leur art se résume à donner le goût de fraise à de la fraise ou, pis, à une préparation qui ne contient pas de fraise. Certains cuisiniers applaudissent, au contraire, à une idée lancée dans la chronique « Science et gastronomie » de la revue *Pour la Science*, en avril 1995, qui mettrait à disposition des solutions de ces molécules, ajoutant ainsi des « notes » à leur piano. Nous rêvions – nous rêvons encore – d'une cuisine qui utiliserait même des molécules définies, parfaitement artificielles, pour leurs propriétés gustatives. Nous pouvons transcender la nature.

## Le gâchis des vins réduits

En attendant, nous avons renouvelé la confection d'une sauce au vin. Selon la tradition, le vin d'une sauce meurette est longuement cuit avec des oignons, des champignons de Paris et des petits lardons ; le vin d'une sauce bordelaise mijote avec des échalotes, du poivre, du thym, du laurier et du bouillon de bœuf… Lors de la cuisson, une délicieuse odeur s'échappe de la casserole : les molécules odorantes, le plus souvent hydrophobes, passent en partie dans l'air qui surmonte la casserole, et sont entraînées par la vapeur d'eau.

Quel gâchis ! Que reste-t-il dans la casserole ? Le vin est, au premier ordre, composé d'eau, d'éthanol, de glycérol, de sucres (glucose…), d'acide tartrique, de polyphénols (tanins et autres) et de molécules hydrophobes. Pourquoi ne pourrait-on produire une sauce du XXI$^{e}$ siècle à partir d'eau, de glucose, d'acide tartrique (très « élégant », gustativement), de polyphénols, tels que certains producteurs en extraient des pépins de raisins, par exemple? Et garder le vin pour un autre usage ?

Faites l'essai : la sauce a la couleur rouge d'une sauce au vin rouge, et un goût étonnant, qui peut être renforcé par celui du bouillon de bœuf cuit longuement en présence de glucose ; en effet, les acides aminés du bouillon auront eu le temps de réagir avec le glucose, et d'engendrer des composés sapides et odorants par les réactions dites de Maillard (du chimiste nancéien Louis-Camille Maillard), et par bien d'autres réactions qui font le goût des aliments.

Est-il temps ? À vous de penser et de le dire.

# Réalisation du pianocktail

**Cette machine confectionne des plats nouveaux à la carte.**

Boris Vian avait imaginé un « pianocktail », qui préparait des boissons appropriées à la musique que l'on jouait. À Mainz, avec Christian Hofmann et Volker Hessel, de l'*Institut für Mikrotechnik Mainz (IMM)*, nous avons réalisé le prototype d'une machine qui crée des plats ou des cocktails nouveaux, non à partir du sentiment exprimé par une mélodie, mais à partir d'un formalisme mis au point pour la description des systèmes dispersés.

En décembre 2002, lors du Congrès européen des sciences de l'interface, à Paris, j'ai présenté une classification des systèmes dispersés complexes qui débouchait sur la réalisation de mets nouveaux. Nous avons déjà rapidement vu ce formalisme ; revenons-y afin de voir comment il conduit au pianocktail. Il s'agissait de généraliser à plus de deux phases les mousses, émulsions, suspensions, gels, aérosols... Comprendre que nous ne mangeons que des systèmes aujourd'hui nommés « dispersés » n'était que la moitié du chemin. Il manquait à la généralisation une idée due à Lavoisier, qui, dans un Mémoire de l'Académie des sciences, à propos de dissolution des métaux dans les acides, introduit le formalisme en chimie : « Afin de mieux montrer l'état et de donner directement, d'un seul coup, le résultat de ce qui se passe lors de la dissolution des métaux, j'ai construit un type particulier de formules qui ressemblent à de l'algèbre, mais qui n'ont pas le même but et qui ne dérivent pas des mêmes principes : nous sommes loin du temps où la chimie aura la précision des mathématiques, et j'invite à considérer ces formules comme des notations dont l'objet est de faciliter les opérations de l'esprit. »

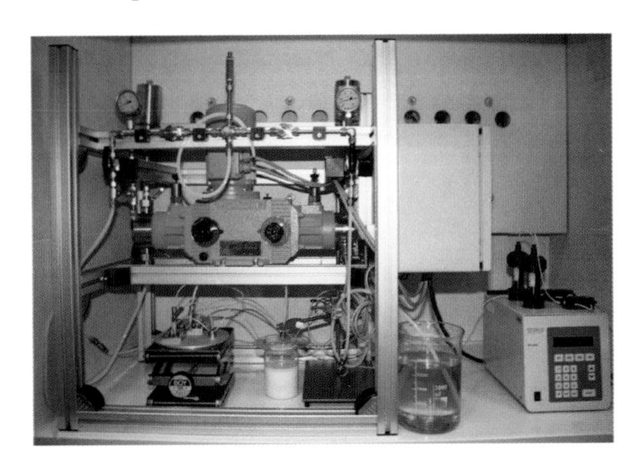

## Mieux embrasser pour mieux cuisiner

Nous voulons embrasser davantage de systèmes dispersés. Les mots nous manquaient, et pour pallier cette insuffisance nous avons introduit trois symboles : / pour indiquer une dispersion, + pour noter un mélange, σ pour une superposition, et @ pour dénoter une inclusion. Les phases utilisables sont les gaz, les liquides et les solides, que nous dénommerons par leur initiale, G pour gaz, H pour huile, E pour eau, S pour solide.

Que faire de tels symboles ? Des formules ! Par exemple, une émulsion de type huile dans l'eau, telle la crème, sera désignée par la formule H/E. La crème fouettée est (G + H)/E. Le fouet introduit des bulles d'air, de sorte que l'on sera amené à décrire la réaction physico-chimique à la façon des chimistes : H/E + G $\rightarrow$ (G + H)/E. Le formalisme conduit naturellement à l'invention : à partir de trois phases, que l'on combine à l'aide des quatre symboles évoqués précédemment, un millier de formules sont envisageables, et environ 50 millions avec six phases.

En janvier 2003, j'ai proposé à Pierre Gagnaire de réaliser un plat nommé « Faraday de Saint-Jacques », répondant à la formule $((G + H + S_1)/E)/S_2$ : le gaz est l'air ; le premier solide $S_1$ est de la chair de coquilles Saint-Jacques ; l'huile H est une huile où ont macéré des écorces d'oranges et l'eau E est un thé fumé ; le solide $S_2$ s'obtient par gélification de la gélatine.

## Série et parallèle

La systématique se prêtant à l'automatisation, nous avons proposé aux ingénieurs de l'Institut de recherche *IMM* de mettre leurs microréacteurs en parallèle et en série pour matérialiser des formules. Ces microréacteurs sont des dispositifs gros comme des boîtes d'allumettes, composés de plaques métalliques où des canaux ont été micro-machinés ; en assemblant deux plaques, on fait aboutir dans un collecteur deux entrées, où l'on peut injecter à volonté eau, huile, gaz, solides (pulvérisés). De la sorte, ces microréacteurs forment des émulsions, des mousses, des suspensions... avec des proportions des deux phases déterminées par le débit des pompes qui poussent les phases dans les canaux.

En février 2003, nous avons alors utilisé, à titre d'essai, de la purée de pommes de terre, de l'huile, de l'eau, et mis en série deux microréacteurs pour matérialiser la formule (G + H + S)/E *(ci-dessus)*. Quel goût ce plat nouveau avait-il ? Il était fade, parce que la purée manquait de sel, que l'eau n'a pas de goût, et que l'huile de tournesol n'est pas un sommet gastronomique. En revanche, le prototype a démontré qu'une infinité de mets nouveaux, plats ou cocktails, sont à la portée des cuisiniers et des industriels. La question de la cuisine n'est désormais plus la structure des mets, mais leur goût.

# Terra incognita

**Nous n'avons découvert qu'une infime partie du monde culinaire. Prudence, toutefois : l'exploration n'est pas, gustativement, sans risque.**

H*ic sunt leones* : là il y a des lions. Cette indication figurait sur les cartes anciennes, à l'extérieur de la frontière entre le connu, l'Ancien Monde, et l'inconnu. Le voyageur était averti de dangers éventuels. Aujourd'hui, le développement de la « cuisine note à note » met les cuisiniers face à la même situation.

Cuisine note à note ? C'est la tentation du chimiste qui quitte sa casquette de scientifique, chercheur de mécanismes, pour celle de technologue moléculaire, inventeur qui utilise les mécanismes découverts par la science. Un exemple : le chimiste explore la confection des vinaigres balsamiques de Modène dans le *Journal of Food Composition and Analysis*, (vol. 19, pp. 49-54, 2006), il découvre leur composition... et il est évidemment tenté de reproduire le coûteux liquide par des moyens simples. Sacrilège ? Les Italiens ont été les premiers à s'y livrer, en raison de la difficulté de production de leur coûteux vinaigre.

## Cuisine note à note

En effet, ce vinaigre célèbre s'obtient par concentration d'un moût de raisin du cépage Trebbiano (principalement), au cours d'un chauffage lent, jusqu'à un tiers du volume initial ; les levures se développent alors sur ce milieu riche en molécules énergétiques, transforment le fructose et le glucose qui s'y trouvent en acide acétique ; puis le produit est stocké dans des fûts de bois de taille décroissante, à mesure de l'évaporation du liquide. Il faut plusieurs années de patience pour produire le véritable vinaigre balsamique, d'où son coût.

Une certaine industrie ne s'est pas privée de vendre sous le même nom du vinaigre additionné de caramel, entreprise malhonnête, car l'étiquetage veut tromper. Mais quand nous n'avons pas les moyens d'acquérir le véritable produit traditionnel, ne pourrions-nous utilement reprendre les données de la science pour confectionner un produit intéressant ?

Concentrer ? On est évidemment tenté d'employer des moyens rapides (osmose inverse, etc.). Stockage dans des fûts ? Pourquoi ne pas se contenter de faire tremper des copeaux ? Le cépage Trebbiano ? Ne pourrait-on pas utiliser n'importe quel raisin blanc, ou noir, ou du jus de pomme ? Et puis, pis encore, ne pourrions-nous éviter l'étape de fermentation et produire directement, par ajouts, une solution riche en sucres, peu acide, de forte densité, concentrée en molécules qui y ont été détectées ?

## En route

Reculons-nous d'un pas avant de partir – ou non – à la découverte du vaste monde culinaire. La cuisine traditionnelle utilise des viandes, poissons, œufs, légumes, fruits... qui sont des organisations moléculaires plus ou moins figées. Par exemple, la carotte (ou plus précisément la racine de

carotte) est un assemblage cellulaire dont l'architecture est principalement composée de cellulose, hémicelluloses, pectines, avec, dans les cellules, des sucres (glucose, fructose, saccharose), des acides aminés, des acides organiques, des pigments caroténoïdes, des molécules odorantes variées… En musique, on dirait que c'est un accord. Et la cuisine classique, qui entasse dans ses casseroles carottes, vin, navets, viandes, n'est qu'une musique par accords.

## Quelle Nouvelle Cuisine ?

Le monde culinaire, qui n'est qu'artifice, au sens étymologique du terme (a-t-on jamais vu une daube dans la nature ?), a déjà franchi la frontière de ce monde gustatif par accords. Quand la carotte dans la casserole manque de sucre, le cuisinier en ajoute, de même qu'il ajoute du sel quand celui-ci manque. S'annonce alors un nouveau territoire : celui où le cuisinier mêle les ingrédients classiques, et des « notes » isolées, qui règlent plus finement le résultat.

Des notes ? La cuisine utilise le sel et le sucre, peu l'éthanol, et pas encore les divers acides aminés (sauf l'acide glutamique, dans les cuisines orientales), ni les divers acides organiques ni… La liste des possibilités est immense. Elle a été un peu explorée par l'industrie, avec des produits nommés « additifs », qui effrayent les consommateurs par leurs noms codés : E330, E405, E110… Pourtant, soit ces produits sont « bons », et devraient être vendus aux cuisinières et cuisiniers, soit ils sont « mauvais », et ils devraient être interdits. Certains sont indispensables, tel l'acide ascorbique, ou vitamine C, qui, mieux que du jus de citron, protège les végétaux coupés du brunissement dû à des enzymes.

Irons-nous dans ce monde nouveau mêlant l'accord et les notes isolées ? On entrevoit, plus loin dans le monde gustatif, une cuisine toute « note à note », où le cuisinier oublierait les carottes, navets, etc., pour réunir, dans ses casseroles, des molécules en quantités connues, afin d'obtenir des effets précis. Je n'engage aucun cuisinier à aller dans ce territoire inconnu, où sont peut-être des lions… mais je sais qu'il est trop tard. L'humanité est allée explorer le Nouveau Monde : elle confectionnera des vinaigres merveilleux, balsamiques, mais pas de Modène.

# Parentés culinaires

**En classant les recettes selon leurs différentes caractéristiques microscopiques, on facilite leur compréhension et stimule l'inventivité.**

Pour le cuisinier, la sauce béarnaise et la sauce anglaise appartiennent à des règnes différents : la première est salée, la seconde sucrée. Dans les livres de cuisine, la béarnaise n'est pas rangée dans la même section que la mayonnaise : l'une est chaude, et l'autre froide. Pourtant, ces préparations et bien d'autres (hollandaise, aïoli, pâtissière...) se caractérisent par des propriétés rhéologiques (l'écoulement en bouche) voisines, et toutes contiennent de l'œuf. L'utilisation de ce dernier, dans une sauce, serait-il un critère pour rapprocher des préparations apparemment éloignées ? La physico-chimie des systèmes dispersés semble préférable et, de surcroît, faciliterait l'enseignement des techniques culinaires : pour l'épistémologue Émile Meyerson, la science n'était pas la recherche des causes, trop complexes et qui remontent trop loin, mais celle des lois ou des mécanismes explicatifs, car ceux-ci ordonnent le monde.

## Codifications, simplifications

La cuisine a besoin de ces simplifications : le *Guide culinaire* dirigé par Auguste Escoffier, par exemple, donne plus de 5 000 recettes. Monde touffu ! Pour les sauces évoquées précédemment, la physico-chimie indique que les protéines de l'œuf jouent deux rôles : d'une part, déroulées par le cisaillement qui accompagne le battage de la sauce, elles disposent leurs parties hydrophobes au contact de gouttelettes microscopiques de matière grasse, et leurs parties hydrophiles, plongeant dans l'eau, stabilisent les gouttes de graisse en une « émulsion ». D'autre part, les protéines chauffées forment de microscopiques agrégats coagulés qui sont dispersés dans l'eau de la sauce : celle-ci est alors une « suspension solide ».

Dans de tels systèmes dispersés, composés d'une phase continue et d'une phase dispersée, chaque phase est un gaz, un liquide ou un solide, ce qui conduit à neuf types de systèmes simples *(voir ci-dessous)*.

Cette classification permet-elle de décrire l'ensemble de la cuisine ? Presque, car la majorité des plats sont des systèmes dispersés : les viandes, poissons, légumes ou fruits sont composés d'une phase liquide (les fluides intracellulaires) dispersée dans une matrice solide (solidifiée par les membranes et les parois éventuelles). Les sauces sont essentiellement des systèmes dispersés de type émulsion, suspension ou gel. Rares sont les aliments qui ne sont pas dispersés, sans quoi le coup de dent serait pénible (pensons à la mastication d'un glaçon ou d'un gros cristal de sucre !).

| Phase continue \ Phase dispersée | Gaz | Liquide | Solide |
|---|---|---|---|
| Gaz | Gaz | Aérosol | Aérosol solide |
| Liquide | Mousse liquide | Émulsion | Suspension solide |
| Solide | Mousse solide | Gel | Suspension solide |

Évidemment, les neuf catégories de systèmes dispersés simples sont insuffisantes, car les mets sont souvent l'objet d'une trituration élaborée. Ainsi le lait est une émulsion de gouttelettes de matière grasse dans une solution aqueuse, mais la phase continue contient également des micelles de caséines, agrégats de protéines « cimentées » par du phosphate de calcium. Quand le lait repose, la matière grasse vient flotter en surface, et l'on obtient la crème, émulsion concentrée que l'on baratte.

Les systèmes à plus de deux phases étant légion, on considérera les phases dispersées dans les diverses phases de base. Par exemple, une purée s'analyse en première approximation comme un ensemble de cellules dispersées dans une émulsion, due à la matière grasse du lait et au beurre fondu dispersés dans l'eau du lait ; les cellules sont elles-mêmes analogues à des vésicules aqueuses où les grains d'amidon gonflés par la cuisson des pommes de terre ont engendré un gel.

Cette classification étant obtenue, l'artiste du goût pourra faire des variations, ajouter le basilic ou retrancher le thym, il ne changera pas la base physico-chimique du plat, et les listes interminables des sauces (plus de 300 dans le *Guide culinaire*) seront alors structurées. Ainsi tous les procédés qui s'appliquent à un plat d'une catégorie sont utilisables pour tous les plats de la même catégorie : par exemple, la viande, le poisson et les légumes ayant tous la même structure physico-chimique peuvent donc subir le même type de préparations, tels que friture, braisage, rissolage, grillage... et certains ingrédients des émulsions peuvent être remplacés par d'autres.

La description de la cuisine en termes de systèmes dispersés permet d'inventer des mets nouveaux. Voulons-nous, par exemple, inventer une nouvelle préparation de légumes ? Cuits dans un peu d'eau, puis finement découpés, ils conduiront d'abord à une suspension. Si une partie de cette suspension est broyée en présence d'huile d'olive, on obtiendra une émulsion où les protéines et les phospholipides des membranes cellulaires serviront de tensioactifs, stabilisant les gouttes d'huile ; pour peu que l'émulsion ait été fouettée, elle contiendra les bulles qui sont l'apanage des mousses. Le mélange des deux colloïdes conduira à un colloïde complexe que l'on pourra faire prendre en masse par une gélification... Finalement, quel plat aurons-nous préparé et quel goût aura-t-il ? Pour le goût, ce sera celui que nous aurons décidé : il dépendra du légume de base et des aromates utilisés. À partir de carottes, par exemple, le nom pourrait être « gel mousseux et émulsionné d'une suspension de carottes », à moins qu'en l'honneur du grand physicien Irving Langmuir (1881-1957), qui fut un pionnier des systèmes dispersés, nous n'adoptions des noms tels que « carottes à la Langmuir ».

# Construisons les plats...

**... par des jeux de combinaisons. On obtiendra ainsi des associations de structures et de goûts qui prolongeront le plaisir en bouche.**

Si le contenu d'une assiette ne faisait qu'une gorgée, le plaisir de la table serait faible. Les écrivains allemands Wolfgang von Goethe et Friedrich Schiller avaient identifié dans la poésie épique ce qu'ils pensaient être une qualité essentielle, les « motifs retardants » : on prévoit l'issue, mais le chemin pour y parvenir est long. Et en cuisine ? L'objet alimentaire le plus rapidement assimilable est le liquide ; c'est le degré zéro sur l'échelle « épique » de la consommation alimentaire. À l'opposé, le solide pur est de degré infini : on n'en finit pas de mastiquer.

Et entre les deux ? Les Précieuses appréciaient les mousses, parce qu'elles évitaient le mouvement « disgracieux » de la mastication. Les mousses sont des dispersions de bulles d'air dans un liquide, apparentées physiquement aux émulsions (dispersions d'un liquide dans un autre liquide non miscible au premier), aux gels (dispersions d'un liquide dans une phase continue solide), aux suspensions. Tous ces systèmes dispersés sont au degré un du retardement alimentaire.

## Structurations non périodiques

Pour entrevoir ce que sont les autres degrés, inspirons-nous du monde naturel : nous mangeons de la viande et du poisson, des légumes et des fruits, aux consistances variées. D'où les tirent-ils ? Dans tous ces cas, il y a un liquide, ou un gel, une émulsion, une mousse, dans une enveloppe plus ferme. Pour le poisson ou la viande, l'enveloppe est celle des fibres musculaires, limitées par le tissu conjonctif, fait de collagène (une protéine dont les molécules s'enroulent en triples hélices, qui se juxtaposent en un non tissé). Pour les fruits et les légumes, c'est la même chose, mais avec des tailles et des formes variées pour les « cellules » (dans les végétaux, le collagène est remplacé par la paroi cellulaire, faite de cellulose et de pectines).

Platon ayant prétendu que l'art imite la nature, transposons ces systèmes naturels : si l'on juxtapose des cannellonis, verticalement, dans une tasse, puis que l'on coule dans les cannellonis, et entre eux, un liquide gustativement intéressant (bouillon, fond de poisson...) où est dissoute de la gélatine, on obtient un paquet de fibres collées par la gelée, et emplies de cette même gelée. Sous la dent, ces « fibrés » auront la fermeté des cannellonis, puis la fluidité de la gelée.

La structuration de l'espace alimentaire est une façon épique de construire les plats. D'où la nouvelle question : comment structurer l'espace ? Rien ne vaut un bon formalisme. Une façon adaptée consiste à désigner d'abord les constituants des mets par leur dimension : de zéro ($D_0$), pour un petit grain de quelque chose qui se mange, à trois ($D_3$), pour un volume. Certains plats sont obtenus par association de ces éléments. Par exemple, si l'on utilise la notation $\sigma_z$ pour décrire une superposition selon un axe $z$

vertical, la formule $D_0$ $\sigma_z$ $D_3$ décrira… une cerise sur un gâteau.

Plus intéressante, la pâte feuilletée, obtenue par repliements successifs d'une enveloppe de pâte (faite de farine et d'eau) où l'on a préalablement enfermé une couche de beurre ; six repliements successifs en trois conduisent à une alternance de 730 feuillets de pâte ($D_{2,1}$), alternés avec 729 feuillets de beurre ($D_{2,2}$). D'où la formule de la pâte feuilletée : $(D_{2,1}\sigma_z D_{2,2})^{\sigma_z 729}$. La cuisine ne se limitant pas à l'empilement d'objets, au moins deux autres opérateurs $\sigma_x$, $\sigma_y$ s'imposent, pour la description des juxtapositions dans les deux autres directions de l'espace.

## Description et invention

Quittons le jeu descriptif pour le jeu inventif : avec les symboles $D_0$, $D_1$, $D_2$, $D_3$ et les opérateurs $\sigma_x$, $\sigma_y$, $\sigma_z$, nous engendrons des formules dont nous ferons des mets. Soit :
$((D_{3,1}\ \sigma_x\ D_{3,2})^k\ \sigma_y\ (D_{3,1}\ \sigma_x\ D_{3,2})^k)^l$
$\sigma_z\ ((D_{3,1}\ \sigma_x\ D_{3,2})^k\ \sigma_y\ (D_{3,1}\ \sigma_x\ D_{3,2})^k)^l$.
La partie $(D_{3,1}\ \sigma_x\ D_{3,2})^k$ est une rangée alternée de $k$ éléments $D_{3,1}$ et $D_{3,2}$. Juxtaposons $l$ rangées dans le plan $(x, y)$, en les décalant d'un volume unitaire : nous obtenons le damier bidimensionnel
$((D_{3,1}\ \sigma_x\ D_{3,2})^k\ \sigma_y\ (D_{3,1}\ \sigma_x\ D_{3,2})^k)^l$…
que nous pouvons encore empiler.

Quel goût le plat a-t-il ? Celui que l'on désire. Dans une recette réalisée par Pierre Gagnaire, sur la base de notre proposition, on prépare des frites et des bâtonnets de gras de seiche ; on les trempe dans de l'œuf battu et on les alterne pour composer un cube dont la face latérale soit un damier ; puis on coupe le cube en tranches, perpendiculairement à l'axe des bâtonnets, et on décale une tranche sur deux. On obtient ainsi un damier tridimensionnel qu'il nous restera à chauffer, afin de coaguler l'œuf, ce qui donnera de la tenue à l'ensemble. La texture de cette généralisation du mille feuilles sera inédite, et le goût sera celui des éléments utilisés… lequel se modifie facilement. On pourrait, par exemple, tremper les bâtonnets dans une poudre d'épices, avant de les empiler.

Pour d'autres assemblages, nous tirerons parti du formalisme de la cristallographie, fondé sur les symétries. Tout profite au cuisinier dont la vision calculatoire excite l'imagination !

# La cuisine abstraite

**Notre imagination interprète l'œuvre d'un artiste pour susciter une émotion. La musique et la peinture ayant évolué vers des formes abstraites, envisageons une cuisine plus conceptuelle qui émeuve aussi.**

La peinture non figurative eut son théoricien, Wassily Kandinsky, qui proposait de remplacer l'imitation de la nature par une peinture d'« états d'âme déguisés sous des formes naturelles ». Merveilleux projet, dont l'art culinaire ne s'est pas encore emparé. Posons-nous la question : que serait une cuisine abstraite, non figurative ? Elle impose la disparition des produits traditionnels, carottes, navets, tomates, viandes, poissons : leur « forme gustative » serait identifiable. Par « forme », nous entendons « structure reconnaissable » : l'arrangement des étoiles en... forme de casserole, dans la constellation de la Grande Ourse, est une forme visuelle, l'arrangement des notes dans *Au clair de la lune*, une forme auditive, le raisonnement par l'absurde, une forme intellectuelle.

## Du non figuratif enfin !

Des molécules de celluloses, de pectines, de sucres, des molécules de caroténoïdes, etc. font une « forme gustative » de carotte quand ces molécules sont organisées sous forme de carotte. Utiliserions-nous dans un plat uniquement les molécules qui font le goût de la carotte que nous aurions encore fait de la cuisine figurative : pour la cuisine abstraite, le projet est d'utiliser des molécules pour des formes gustatives inédites.

L'entreprise condamnerait-elle l'agriculture et l'élevage à la faillite ? Non. Comme le peintre abstrait achète des pigments, le cuisinier non figuratif utilisera des molécules, peut-être celles de la tomate ou de la carotte, mais pas organisées sous la forme de tomate ou de carotte. Il procédera à partir de fractions isolées des produits végétaux ou animaux, ce qui permettrait aux mamelles de la France de produire des assemblages inédits de ces fractions, et de les vendre à des prix supérieurs : pourquoi l'industrie alimentaire ne prolongerait-elle pas les « craquages » du lait, du blé, déjà opérés depuis des décennies, par le craquage du raisin, de la viande, du poisson (les *surimis* sont un produit d'une telle entreprise) ? Ces produits seraient assemblés, mais au contraire de ce que préconisait le critique culinaire Curnonsky, pour « donner aux choses le goût de ce qu'elles ne sont pas ».

## L'abstrait, en pratique

Donnons-nous maintenant comme but de produire un mets qui ne soit pas reconnaissable comme celui d'un produit alimentaire connu, ni comme un assemblage de tels produits. Le goût, l'architecture du mets, sa couleur seront inédits. Observons ainsi que la vie ne produit pas de fruit, de légume, de viande ou de poisson pyramidal : en choisissant cette forme visuelle, nous éviterons le rapprochement avec des objets alimentaires classiques. Poursuivons : les aliments étant majoritairement composés d'eau, nous réaliserons un gel où l'eau est structurée : les possibilités originales sont nombreuses, car les protéines ou polysaccharides gélifiants ne manquent pas. Et pour ne pas verser dans les formes gustatives classiques que sont le fromage, l'aspic, l'œuf cuit, pour ne pas former une structure feuilletée comme on la trouve dans la chair du turbot, par exemple, organisons ce gel en forme de damier tridimensionnel, avec une alternance de dés durs et de dés mous.

Les dés durs seront obtenus par précipitation de protéines de chair hachée (par exemple, un morceau de l'avant du bœuf permettra de faire des essais à coût limité, d'autant que ce morceau ne sera utilisé que pour ses protéines), à l'aide de sel, puis par redissolution et coagulation à la chaleur. Les dés mous seront obtenus par hachage de la même chair, mais la chair hachée sera additionnée d'un liquide, avant d'être coagulée par la chaleur, comme pour la production d'une mousseline.

La couleur ? La nature a produit toutes les couleurs du spectre, à l'aide de chlorophylles (vert), de caroténoïdes (rouge, orange et jaune), d'anthocyanes (du rouge au bleu) ou de bétalaïnes (les pigments des betteraves) : nous aurons du mal à produire une couleur qui ne soit pas celle qui serait reconnue comme celle d'un produit naturel. Il nous reste le noir, absent… sauf dans l'encre de seiche, et le blanc, que l'on obtient en dispersant des microstructures (bulles d'air, gouttelettes d'huile) dans une phase : le damier tridimensionnel sera une alternance de blanc et de noir.

Le goût, enfin ? Il faut composer la saveur, l'odeur, le « trigéminal », c'est-à-dire le piquant et le frais. Pour la saveur, je vous propose une combinaison de plusieurs sortes de molécules. D'abord l'acide glycirrhizique de la réglisse, mais en quantité suffisamment faible pour que le goût de réglisse n'apparaisse que de façon subliminale, nous ajouterons du lactose et de l'acide malique, jamais associés dans des produits naturels. Pour l'odeur, nous opérerons comme les parfumeurs, qui savent réaliser des *N° 5* de *Chanel* et autres compositions qui n'ont rien de naturel. Les molécules de base seront les molécules odorantes des végétaux, mais l'assemblage devra éviter la reproduction de formes odorantes connues… et « projeter la lumière dans les profondeurs du cœur humain ».

# Dernière bouchée pour la route

Un livre qui se termine, c'est toujours une séparation douloureuse pour l'auteur, quand il aime les amis qui le lisent, et une tristesse pour le lecteur, quand il a aimé le livre qu'il referme. Comment éviter la séparation ?

Il y a, au moins pour ce sujet de la cuisine, la possibilité de discuter des mille « précisions » culinaires recueillies dans les livres de cuisine (en réalité, plus de 25 000). Ces précisions sont notre culture culinaire, accumulées par les cuisiniers d'antan, empilées dans les livres de cuisine. Il y en a de toutes sortes. À propos des viandes, des poissons, des légumes, des fruits, des hors-d'œuvre, des desserts... Comment les classer ? Qu'en faire ? À une époque de mutation culturelle comme la nôtre, ne devrions-nous pas recueillir rapidement des précisions afin de les mettre en perspective, dans des musées ? On disait (mais mon imparfait est largement un présent) que l'eau salée met plus longtemps à bouillir que l'eau non salée. On disait que le sel dans l'eau de cuisson des haricots verts faisait les haricots plus verts. On disait que les viandes rôties devaient être caressées avec de l'huile, jamais avec un liquide contenant de l'eau. On disait que les règles féminines faisaient tourner les mayonnaises (et, ici, mon imparfait est une sorte de conjuration d'une croyance, hélas, encore vivante !), ou la phase de la lune, ou... On disait et l'on dit tant de choses, quand on n'a pas percé le mystère de transformations qui sont – littéralement – miraculeuses.

Oui, la coagulation du blanc d'œuf, par exemple, n'a rien de « naturel » : si le glaçon, solide, fond à la chaleur, pourquoi le blanc d'œuf, liquide, durcit-il ? D'ailleurs, ce type de questions est partout : pourquoi le ciel est-il bleu et non orange, ou jaune, ou vert ? Pourquoi ? Pourquoi ?

On comprend que ces questions puissent alimenter *ad aeternam* le dialogue. Et puis, ces questions ouvertes – oublions un instant la couleur du ciel pour nous consacrer aux précisions culinaires – sont autant de promesses de réponses qui attendent des tests expérimentaux... pas toujours faciles à interpréter.

Il y a aussi la question des goûts que, contrairement à l'adage, il est toujours intéressant de discuter. Au fond, ce n'est pas le « j'aime » ou le « je n'aime pas », qui sont intéressants, mais le « pourquoi j'aime », et le « pourquoi je n'aime pas », qui sont des façons de se dévoiler mutuellement, de pénétrer dans l'intimité de l'in-

terlocuteur et, de ce fait, de créer un lien social. Pourquoi l'Alsacien aime-t-il le Munster, et le Toulousain le cassoulet ? Oui, il y a de la culture là-dedans, mais qu'est-ce que cette « culture » que l'on érige en *deus ex machina* pour expliquer – ou plutôt ne pas expliquer – un phénomène passionnant, qui mérite d'être mieux exploré ? La grégarité de notre espèce humaine serait-elle la clé de cette question ? Après tout, animaux sociaux, les êtres humains vivent en groupe, et ils sont plus heureux d'être en groupe parce que, biologiquement, ce regroupement est la clé de leur survie.

Interrogeons-nous : qu'est-ce qu'être heureux d'être en groupe, de manger en groupe ? Pourquoi les cérémonies comportent-elles le plus souvent un vin d'honneur, un banquet ? Et cela depuis bien longtemps, puisque les Grecs, déjà, sacrifiaient des animaux aux dieux ?

Deux questions en une : celle du plaisir de manger un aliment particulier et celle de la « convivialité ». Ne méritent-elles pas d'être explorées rationnellement, scientifiquement ? Nous ne serons pas assez d'être tous pour résoudre ces problèmes.

Il y a, encore, la questions des méthodes, que l'on peut partager et qui nous « rendent demain plus intelligent qu'aujourd'hui » : la pluridisciplinarité, malgré son nom qui fleure l'intellectuel, est pourtant un enrichissement, parce qu'elle correspond à un agrandissement du territoire intellectuel et aussi à la mise à bas de frontières disciplinaires qui voudraient nous empêcher de bien penser.

Oui, pour explorer la cuisine, il faudra des « sciences inhumaines » (les sciences dites moins humoristiquement exactes) et des sciences « molles », qui ordonnent les idées de façon non quantitative (la question du « combien » n'est pas toujours pertinente). Oui, pour bien étudier la cuisine, il faudra de l'histoire, de la sociologie, de la psychanalyse... à côté de la chimie, de la physique, de la biologie... Chaque méthode (entendons « chaque discipline scientifique ») apportera sa pierre au grand édifice de la connaissance de ce monde merveilleux qu'est la cuisine. Car il y a la grande question : pourquoi la cuisine est-elle un monde merveilleux ?

On le voit : la séparation est impossible, puisque nous devons discuter de cette question essentielle !

# Glossaire

*Les glossaires sont, le plus souvent, rangés par ordre alphabétique, mais pourquoi ? Et si l'on innovait enfin ? Utilisons la liste alphabétique pour retrouver les termes, mais promenons-nous dans un glossaire promenade, développé au fil de la nécessité. Je propose que nous partions de la « gastronomie moléculaire », puisque ce livre est une émanation de cette discipline, et que nous ramifions de proche en proche.*

| | | | |
|---|---|---|---|
| Acides aminés | (34) | Gastronomie moléculaire | (1) |
| Albumines | (30) | Glucose | (38) |
| Amer | (12) | Goût | (7) |
| Amour | (25) | Hydrolyse | (37) |
| Arôme | (17) | Jaune d'œuf | (32) |
| Art | (23) | Méthode expérimentale | (3) |
| Blanc d'œuf | (28) | Monoglutamate de sodium | (36) |
| Chimie | (26) | Odeur | (16) |
| Chlorophylles | (31) | Protéines | (33) |
| Concentration | (18) | Sapiction | (9) |
| Consistance | (13) | Saveur | (10) |
| Cuisine | (22) | Science | (2) |
| Cuisine moléculaire | (4) | Sucré | (11) |
| Eau | (27) | Technique | (24) |
| Expansion | (19) | Technologie | (5) |
| Fibre musculaire | (21) | Texture | (14) |
| Flaveur | (8) | Trijumeau | (15) |
| Fourcroy | (29) | Umami | (35) |
| Gastronomie | (6) | Viande | (20) |

1. **Gastronomie moléculaire** – Discipline scientifique qui étudie les transformations culinaires (notamment) ; la gastronomie moléculaire cherche les mécanismes de ces transformations. Ne produit que des connaissances, pas des mets. S'exerce dans des laboratoires où la méthode est la méthode expérimentale. Ne pas la confondre avec la « cuisine moléculaire », qui est une application.

2. **Science** – Activité de recherche des mécanismes des phénomènes ; met en œuvre la méthode expérimentale.

3. **Méthode expérimentale** – Introduite sous sa forme moderne en théorie par Francis Bacon, en pratique par Galilée, elle consiste d'abord en l'observation d'un phénomène : on repère un phénomène, que l'on isole par la pensée, ce qui est déjà une construction intellectuelle. Puis on le caractérise (des mesures, des mesures, des mesures...), on relie les paramètres mesurés afin de produire des équations que l'on

résout pour obtenir des « lois », lesquelles appellent des explications, ou mécanismes. Puis, comme on sait que des modèles réduits du réel ne sont pas le réel, on sait que les lois, modèles ou théories produits sont insuffisants, de sorte que l'on tire les conséquences des théories, afin de mettre sur pied des expériences qui visent à réfuter (pas prouver ni démontrer ! On ne démontre qu'en mathématiques) les théories produites, ce qui permettra de progresser. Cette description un peu caricaturale permet de comprendre que la science n'a pas de fin ! Elle montre une vraie différence avec les fausses sciences : la science n'est pas contente d'elle-même, puisqu'elle est toujours dans la pensée que les théories sont fausses. Serait-ce là un critère utile pour distinguer les sciences des fausses sciences ?

4. **Cuisine moléculaire** – Tendance culinaire (« mode »), née des efforts de la gastronomie moléculaire, qui a consisté à rénover les matériels, méthodes et ingrédients culinaires. Puisque cette mode est à la mode, elle est morte, du point de vue des véritables créateurs. Cette phase de transfert technologique était une transition indispensable, parce qu'elle a consisté à éviter la répétition qui a toujours caractérisé l'empirisme culinaire.

5. **Technologie** – Utilisation de la science (notamment) pour le perfectionnement de la technique. C'est une activité d'application des sciences (et non de « science appliquée », puisque cette terminologie est erronée : soit il y a science, et donc pas d'application, soit il y a technologie, et donc pas de science).

6. **Gastronomie** – « Connaissance raisonnée de tout ce qui se rapporte à l'Homme [nous devrions dire plus justement « aux êtres humains », pensons aux femmes !] en tant qu'il se nourrit », dit bien Brillat-Savarin, dans sa *Physiologie du goût*, en 1825. Ce n'est pas de la cuisine, et, inversement, la cuisine n'est pas de la gastronomie. Mieux encore, la « cuisine gastronomique » ne peut pas exister, puisque c'est soit de la cuisine (production de mets), soit de la gastronomie (production de connaissances). Pour ceux qui hésiteraient encore à croire à la possibilité de l'oxymoron, je propose que nous les nourrissions exclusivement de connaissances !

7. **Goût** – Sensation synthétique (la seule que nous ayons quand nous mangeons) et qui regroupe la vue, l'audition, l'olfaction, la « sapiction » *(voir ce terme)*, la perception trigéminale (frais, piquant...), la perception des températures, des consistances (et non des textures)...

8. **Flaveur** – Mot inutile, puisque, traduit de l'anglais, il ne signifie que « goût ». À abandonner rapidement par ceux qui l'ont introduit.

9. **Sapiction** – Puisque la gustation est la perception du goût, et non seulement des saveurs, nous manquons d'un mot pour décrire la perception des seules saveurs. Le mot « sapiction » a été proposé.

10. **Saveur** – Sensation donnée par une molécule sapide après stimulation des récepteurs des papilles. On croyait naguère qu'il y en avait quatre (salé, sucré, acide, amer) et l'on publiait des cartes fautives de la langue, avec une prétendue répartition des diverses papilles. Laborieusement, nous avons cru que l'*umami*, introduite par les Japonais, était la cinquième saveur... mais pourquoi « la » cinquième saveur, alors que la réglisse nous disait qu'elle n'était ni sucrée, ni amère, ni acide, ni salée, ni *umami* ? Je crois que la saveur *umami* est un fantasme *(voir ce mot)*, et la physiologie sensorielle a montré qu'il y a plusieurs amers, etc. Pourquoi ne pas admettre, finalement, que le nombre de saveurs est soit indéterminé, soit infini, avec un nombre de dimensions encore inconnu, mais au moins égal à dix, selon les bons physiologistes sensoriels ?

11. **Sucré** – Nous avons fini par croire que le sucré était la saveur du sucre de table, ou saccharose, mais les divers édulcorants ou sucres ont des saveurs différentes. Le sucré n'existe donc pas. Il y a peut-être autant de sucrés que de sucres ou d'édulcorants.

12. **Amer** – Encore un terme qui souffre de l'Idéalisme. Comme la choucroute, en quelque sorte. À ceux qui aiment la choucroute, tout d'abord (mais la remarque vaudrait pour le cassoulet, le pot-au-feu, etc.), faisons remarquer qu'il y a autant de choucroutes que de cuisinières et de cuisiniers, et que, hélas, toutes ces choucroutes ne sont pas bonnes ; il y a les choucroutes trop acides, les choucroutes pas assez acides, les choucroutes pas assez cuites, les choucroutes... « La » choucroute n'existe donc pas. Pas plus que « l' »amer, puisque la neurophysiologie sensorielle a montré, par marquage fluorescent des cellules des papilles, que des cellules voisines ne réagissent pas aux mêmes molécules amères. Il n'y a que « des » amers !

13. **Consistance** – Propriété intrinsèque d'un aliment. Par exemple, l'eau est liquide à température ambiante. Si l'on fait un superbe plongeon dans l'eau, elle s'écarte gentiment devant nous, et nous arrivons dans l'eau. En revanche, si nous faisons un plat, les molécules d'eau n'ont pas la possibilité de s'écarter, parce que leur vitesse maximale est la vitesse du son (dans l'eau). L'eau nous apparaît donc dure comme du béton, et le plat se fait avec émission d'un bruit égal à la douleur que nous ressentons. Pourtant, l'eau a toujours sa consistance de liquide. Il y a donc une différence entre la consistance, qui dépend de la microstructure, et la « texture », qui est ce que nous percevons.

14. **Texture** – Qu'ajouter, après ce qui a été écrit au sujet de la consistance ? Que l'eau n'est qu'un exemple, et que tous les aliments ont une texture qui diffère de leur consistance. Par exemple, un morceau de chocolat que l'on suce a une texture molle, alors qu'il est dur si on le croque.

15. **Trijumeau** – Nerf qui vient de l'arrière du cerveau et se divise en trois branches qui viennent innerver le nez et la bouche. Les récepteurs de ce système détectent le piquant et le frais.

16. **Odeur** – Sensation due à une molécule dite odorante parce qu'elle se lie à un récepteur olfactif.

17. **Arôme** – Odeur agréable d'une plante, dite aromatique. Ce n'est donc pas une composition ou un extrait que l'on ajoute à un aliment pour lui donner de l'odeur. À ne pas confondre avec le « bouquet », qui est l'odeur du vin, ou avec les « parfums », qui sont des produits composés en vue de donner des odeurs agréables aux corps ou aux pièces, par exemple.

18. **Concentration** – Opération de rassembler en un même site un groupe d'objets ; mesure du degré de rassemblement. Contrairement à ce qu'a longtemps prétendu la cuisine, il n'y a pas de concentration lors d'un rôtissage, parce que le jus sort, la viande se contractant (la viande peut être considérée comme un liquide ; or les liquides sont incompressibles).

19. **Expansion** – Augmentation de volume. La cuisson d'une viande dans l'eau n'est pas une « expansion » de la viande, contrairement à ce que la cuisine a longtemps prétendu, puisque la viande se contracte quand elle est chauffée (en raison du tissu collagénique).

20. **Viande** – Le plus souvent, tissu musculaire. Il est fait de longs « tuyaux » adjacents, alignés. Ces « tuyaux » sont nommés « fibres musculaires ». Ils assurent la contraction des muscles parce que, quand le cerveau en donne l'ordre sous la forme d'une stimulation électrique, les protéines de l'intérieur des fibres glissent les unes contre les autres, ce qui provoque le raccourcissement des fibres.

21. **Fibre musculaire** – Les fibres musculaires sont composées d'une « peau » et d'un intérieur. La peau, c'est le « tissu collagénique », un tissu fait par l'enchevêtrement de fibres de collagène, des assemblages de protéines. Les fibres contiennent une foule de sortes différentes de molécules (avec, évidemment, un nombre considérable de molécules de chaque sorte), mais surtout de l'eau et des protéines, dont deux sont essentielles pour la contraction musculaire : l'actine et la myosine.

22. **Cuisine** – Je me repens ! D'abord, ce n'est pas de la chimie, puisque c'est une pratique, et non une science. Ensuite, elle ne se réduit pas à une activité technique, puisque le meilleur des soufflés, bien gonflés, ne vaudra rien s'il est jeté à la tête des convives. La cuisine, c'est d'abord de l'amour, de l'art, et ensuite de la technique.

23. **Art** – Activité humaine dont la nature a évolué avec les époques, mais, puisque j'en ai fait l'objet d'un traité tout entier, je préfère proposer ici, plus succinctement, de l'opposer à l'artisanat. Le peintre en bâtiment et Rembrandt ne sont pas moins estimables (ce qui mérite l'estime, n'est-ce pas l'individu, s'il le mérite, plutôt que l'état ?), mais leur projet diffère. Dans un cas, on veut protéger le mur des intempéries, dans l'autre on veut émouvoir (pour faire simple).

24. **Technique** – Au fond, dire que la cuisine est d'abord de l'amour et de l'art, c'est implicitement condamner la technique aux bas-fonds, la mépriser. Pourtant, rien ne se fera sans cette technique, et les plus grands artistes sont aussi les plus extraordinaires techniciens. Le *techne* des Grecs, c'est le « faire », mais c'est aussi l'art. Les relations sont ambiguës, et notre volonté analytique ne doit pas nous porter à des analyses trop tranchées. Et puis, pourquoi mépriser quoi que ce soit qui contribue au bonheur des convives ? D'autant que la technique culinaire fait apparaître mille phénomènes passionnants, tendus comme autant de questions ouvertes à la gastronomie moléculaire.

25. **Amour** – Nommons ainsi la composante de l'acte culinaire qui consiste à donner du bonheur aux convives. En effet, ne faut-il pas « aimer » autrui pour lui donner du bonheur ? Cela étant, hâtons-nous d'ajouter que cet « amour » peut s'interpréter en termes scientifiques. Chaque geste du cuisinier, du maître d'hôtel, peut s'analyser, en vue de comprendre les relations entre les gestes et le sentiment de bonheur éventuellement donné par les gestes. Sur la tombe du mathématicien allemand David Hilbert, il est écrit *Wir müssen wissen, wir werden wissen* (Nous devons savoir, nous saurons).

26. **Chimie** – Quelle belle science ! C'est la recherche des mécanismes des transformations moléculaires. Je crois qu'on gagnerait à la distinguer de ses applications, qui pourraient, par exemple, être nommées « technologie moléculaire » (bien que, dans certains cas, il ne soit pas question de « molécules » *stricto sensu*).

27. **Eau** – Grande oubliée des tables de composition des aliments, alors que nous mangeons essentiellement de l'eau (puisque nous sommes nous-mêmes composés essentiellement d'eau). D'eau « structurée », toutefois : une viande, c'est de l'eau, certes, mais cette « eau » (interprétons : solution aqueuse) est tenue par les protéines, dont le collagène. Les protéines « tiennent » l'eau ? Oui, pensons au blanc de l'œuf, qui est fait de protéines et d'eau : on voit bien là que l'eau du blanc est « tenue » par les protéines. Dans les végétaux aussi, il y a de l'eau tenue, cette fois dans des cellules qui ne sont pas fibreuses.

28. **Blanc d'œuf** – Produit liquide et... jaune ! Oui, on nomme blanc d'œuf quelque chose qui est jaune, et jaune d'œuf quelque chose qui est orange ! Comprenne qui peut, sachant que le *Viandier*, livre

de cuisine français du XIVe siècle, nommait le blanc d'œuf l'« aubun » (du latin *alba*, qui signifie blanc), et le jaune le « moyeu ». Comprenne qui peut, sachant que les livres de cuisine du XIXe siècle signalent que les jaunes d'œufs sont verts, quand, au printemps, les poules mangent des scarabées... Comprenne qui peut, quand, dans un effort de « scientifisation », le chimiste Antoine François de Fourcroy a proposé (dans l'*Encyclopédie méthodique*) de remplacer la terminologie blanc d'œuf par albumen, qui contient la même erreur étymologiquement ? Comment voulez-vous que les enfants, voire nous-mêmes, nous y retrouvions ? Ne devrions-nous pas nommer jaune d'œuf le blanc, et orange d'œuf le jaune ?

Ah, j'oubliais qu'il est utile, souvent, de considérer que le blanc d'œuf est fait de 90 pour cent d'eau et de dix pour cent de protéines.

29. **Fourcroy** – Antoine François de Fourcroy (1755-1809) était le plus jeune des chimistes réunis autour de Lavoisier, et il contribua efficacement à faire adopter la nomenclature rationnelle de la « nouvelle chimie » due à Lavoisier. Professeur de chimie au Jardin du roi à partir de 1784, membre de l'Académie royale des sciences, il fit partie de la Convention, puis fut Conseiller d'État. Il obtint la baryte, découvrit le phosphate de magnésium, mit au point un procédé de séparation du cuivre et de l'étain... et étudia l'albumine... Il découvrit l'albumine « végétale » dans les végétaux, ce qui fut une révolution, car on comprit que les animaux (dont l'Homme) et les plantes ont des molécules communes, contrairement à ce que laissait penser la *Bible* ! En réalité, les « albumines » dont il était question étaient ce que nous nommons aujourd'hui, depuis le début du XXe siècle, des protéines, parce qu'il est vrai que, si des ressemblances existent entre le collagène et l'ovalbumine (une des protéines du blanc d'œuf), il reste vrai que l'ovalbumine coagule, et pas le collagène.

30. **Albumines** – L'albumine n'existe plus depuis au moins un siècle, et il serait temps d'abandonner cette terminologie périmée, pour parler soit de protéines (quand la viande cuit, certaines protéines coagulent), soit d'albumines, au pluriel, parce que l'on désigne ainsi une classe de petites protéines globulaires (le collagène, lui, n'est pas une protéine globulaire). Dans l'œuf, d'ailleurs, il y a, non pas de l'« albumine », mais des protéines de nombreuses sortes : ovalbumine (c'est donc une albumine), ovotransferrine, ovoglobulines, lysozyme, etc. Dans la viande, de bœuf ou humaine, il y a une albumine nommée albumine sérique.

31. **Chlorophylles** – Le paragraphe consacré aux albumines, au pluriel, appelle immanquablement celui-ci, car la cuisine évoque la chlorophylle, alors que la chimie sait depuis longtemps que la chlorophylle n'existe pas. Il y a des chlorophylles, encore au pluriel, distinguées par des lettres : chlorophylle *a*, chlorophylle *a'*, chlorophylle *b*... Chaque pigment absorbe différemment la lumière et contribue à donner une couleur particulière. Certes, ces diverses molécules ont des caractéristiques chimiques communes, avec notamment un groupe tétrapyrrole commun, mais ce groupe est partagé avec l'hémoglobine, laquelle donne sa couleur au sang, non pas verte, mais rouge : dans l'hémoglobine, le magnésium, au centre des molécules de chlorophylles, est remplacé par du fer.

32. **Jaune d'œuf** – Produit orange, fait de 50 pour cent d'eau, de phospholipides et de protéines.

33. **Protéines** – Nous les évoquons souvent, il faut s'arrêter sur leur structure chimique. Pensons à des chaînes dont les maillons sont les résidus d'acides aminés. Elles peuvent être étirées ou repliées.

34. **Acides aminés** – Quand ils réagissent, ils se lient en chaînes nommées protéines. Ce sont aussi des molécules qui ont de la saveur. Par exemple, l'acide glutamique a une saveur perçue différemment par les divers individus en fonction de leur patrimoine génétique. Pour certains, il est simplement salé, pour d'autres, il est sucré/amer, pour d'autres encore il évoque le bouillon de poulet, et pour d'autres, enfin, il n'a pas de saveur. De même pour les divers autres acides aminés, tous très intéressants. Par exemple, le collagène des viandes s'hydrolyse lors de la confection des bouillons, engendrant des acides aminés qui donnent beaucoup de saveur au bouillon.

35. ***Umami*** – À ce stade de notre promenade dans les termes, il faut revenir à l'*umami*, qui a été proposé comme une « cinquième saveur », pour combattre cette idée. En effet, au Japon, la saveur *umami* est celle des bouillons *dashi*, obtenus par infusion d'algues *kombu*. Lors de l'infusion, s'extraient deux acides aminés, l'alanine et l'acide glutamique, qui ont chacun une saveur particulière. Autrement dit, la saveur *umami* n'est pas une saveur élémentaire, puisqu'elle est – logiquement – composée de deux saveurs. La saveur de l'acide glutamique n'est pas la saveur *umami* ; c'est la saveur de l'acide glutamique... qui se distingue aussi de la saveur du monoglutamate de sodium.

36. **Monoglutamate de sodium** – Il est dit « exhausteur de goût », mais nous devons nous élever contre cette terminologie que l'on donne aussi au sel. Le sel (voir *Les secrets de la casserole*, éditions Pour la Science/Belin) affaiblit l'amer et rehausse le sucré : ce n'est donc pas un exhausteur de « goût ». Et puis, nous avons vu que le goût est la sensation complète, synthétique : comment voulez-vous que le pauvre public que nous sommes s'y retrouve dans cette jungle des produits alimentaires ? Le monoglutamate de sodium, pour y revenir, n'est pas l'acide glutamique, puisqu'il comporte l'ion sodium, qui contribue notablement à la saveur de la molécule.

37. **Hydrolyse** – Pour comprendre, il suffit d'un peu d'étymologie. Il faut de l'eau (hydro-), et la réaction conduit à une dissociation (-lyse). Par exemple, le sucre nommé saccharose s'hydrolyse, en milieu acide, pour former du glucose et du fructose.

38. **Glucose** – Molécule qui sert de carburant à nos cellules, parce que l'énergie y est stockée. À ce stade, ce n'est pas un manque d'énergie qui doit nous conduire à mettre une fin temporaire à ce glossaire, mais l'observation selon laquelle, en ramifiant ainsi, de mot en mot, nous pourrions aller à l'infini. Ce serait une fuite, qui ne nous donnera pas la clé du mystère de la vie : pourquoi des assemblages moléculaires tels ceux des cellules, avec les membranes faites de phospholipides, avec les protéines ouvriers ou briques du vivant, avec l'ADN ou l'ARN assurant la pérennité génétique, sont-ils « vivants » ? En d'autres termes, pourquoi la viande relève-t-elle de la chimie, alors que les muscles sont objet de biologie ? La chimie a réussi à produire *de novo* un virus de la grippe. Quand parviendra-t-elle (et y parviendra-t-elle ?) à produire une cellule vivante ? Partis de la cuisine, nous voilà devenus bien graves, aurait remontré Brillat-Savarin, croisé d'une science aimable !

# Bibliographie

## Livres du même auteur


- *Les secrets de la casserole*, Éditions Belin, 1993 la gastronomie moléculaire par des questions et des réponses courtes.
- *Révélations gastronomiques*, Éditions Belin, 1995 des recettes décodées par la science.
- *La casserole des enfants*, Éditions Belin, 1997 comment effectuer des expériences de science en cuisine.
- *La cuisine, invitation aux sciences*, in *La Main à la pâte, bilan de deux ans de réflexions*, Éditions Delagrave, Paris, pp. 119-127, 1998 comment utiliser l'attrait pour la cuisine pour faire venir les enfants aux sciences.
- Les ateliers expérimentaux du goût, http://crdp.ac-paris.fr/index.htm?url=d_arts-culture/gout-intro.htm : un programme de séances expérimentales pour les écoles.
- *Chocolats et friandises*, Éditions Dormonval, Luzern (Suisse), 2001 les meilleures recettes de l'Académie française du Chocolat et de la Confiserie.
- *Casseroles et éprouvettes*, Éditions Pour la Science/Belin, 2002 un recueil de chroniques de la rubrique « Science et gastronomie » de la revue *Pour la Science*.
- *Traité élémentaire de cuisine*, Éditions Belin, 2002 un document qui donne les bases d'une cuisine éclairée.
- *Lettres gourmandes*, Éditions Jane Otmezguine, 2002 un livre d'art qui fait état de réflexions sur les relations de la science et de la cuisine.
- CD Côté cuisine/côté labo, CNDP, 2002 livret d'accompagnement de films scientifiques.
- *À table (peut-on encore bien manger ?)*, Éditions de l'Aube, Forcalquier, 2003 ouvrage collectif publié à l'occasion de l'Exposition À table (Palais de la découverte).
- *Quand la science dit, c'est bizarre...*, Éditions du Pommier, 2003 ouvrage collectif.
- *Matière grasse en cuisine problème central de gastronomie moléculaire (189-230)*, in *Lipides et corps gras alimentaires* (Jean Graille ed.), Éditions Lavoisier Tec et Doc, Paris, 2003 un livre collectif, scientifique et technologique.
- *La cuisine du passé au crible de la physico-chimie un atout pour l'enseignement*, in *Actes du Colloque de l'IEHA « Histoire de l'alimentation, quels enjeux pour l'éducation ? »*, Educagri Éditions, pp. 71-89, 2004 : reflexions sur l'enseignement de la cuisine.
- *We eat only disperse systems the preparation of dishes is largely based on the control of the*

*microstructure of food, i.e. covalent and noncovalent forces between food molecules*, in *Amylodoid and Amyloidosis* (Gilles Grateau, Robert A. Kyle, Martha Skinner eds.), CRC Press, Boca Raton, Floride, pp. 510-512, 2005 actes de congrès.

- *Le banquet du Centenaire de la Société scientifique d'hygiène alimentaire des applications de la gastronomie moléculaire*, in *La Société scientifique d'hygiène alimentaire, Cent ans d'histoire au service de l'alimentation, 1904-2004*, pp. 179-201, 2006 ouvrage collectif.
- *La cuisine, c'est de l'amour, de l'art, de la technique*, Éditions Odile Jacob, 2006.
- *Construisons un repas*, Éditions Odile Jacob, 2007.

## Articles publiés dans des revues scientifiques

- *La cuisson usages, tradition et science*, in *La cuisson des aliments*, 7e rencontres scientifiques et technologiques des industries alimentaires, Agoral 94, pp. 13-21, 5/6 octobre 1994.
- H. This et Nicholas Kurti, *The cooking chemist*, in *The Chemical Intelligencer*, Springer Verlag, p. 65, janvier 1995.
- Nicholas Kurti et Hervé This, *Soufflés, choux pastry puffs, quenelles and popovers*, in *The Chemical Intelligencer*, Springer Verlag, pp. 54-57, janvier 1995, New York.
- H. This, *Le goût, les tours de main et la science*, in *Le retour de la saveur*, Agro Paris Grignon 1995 (publié par le Cercle des élèves de l'INA-PG), pp. 39-44, mai 1995.
- H. This, *La gastronomie moléculaire*, in *L'Actualité chimique*, pp. 42-46, juin-juillet 1995.
- H. This, *La gastronomie moléculaire et physique*, in *La Science des denrées alimentaires*, Food Science, Jacques Aghion ed., CSIPWIC, Commissariat général aux Relations internationales de la communauté française de Belgique (CGRI), pp. 7-11, 1996, Liège.
- *Préceptes magiques, cuisine empirique*, in *Manger Magique*, numéro spécial de la revue *Autrement* (C. Fischler ed.), pp. 136-139, mars 1996.
- *Science et gastronomie*, in *Actes des Journées scientifiques du 2e Forum des innovations techologiques du laboratoire*, Forum Labo, CNIT La Défense, pp. 2-4, avril 1996.
- H. This, *Can a cooked egg white be « uncooked » ?*, in *The Chemical Intelligencer*, Springer Verlag, p. 51, octobre 1996.
- H. This, *From Chocolate Béarnaise to « Chocolat Chantilly »*, in *The Chemical Intelligencer*, Springer Verlag, pp. 52-57, juillet 1997, New York.
- H. This, *La gastronomie moléculaire et l'avancement de l'art culinaire*, in *Sciences*, publication de l'Association française pour l'avancement des sciences (AFAS), n° 98-3, juillet 1998.
- H. This, *De l'esprit de systèmes dans l'art culinaire*, in *Actualités* RTE, Groupe *Elf*, p. 7, octobre 1998.
- H. This et Georges Bram, *Liebig et la cuisson de la viande une remise à jour d'idées anciennes*, in *C.R. Acad. Sci.*, Série IIc, pp. 675-680, novembre 1998, Paris.
- H. This, *L'huile d'olive et la gastronomie moléculaire*, in OCL, vol. 6, n° 1, pp. 95-99, janvier 1999.
- H. This, *Froid, magnétisme et cuisine : Nicholas Kurti (1908-1998, membre d'honneur de la SFP)*, in *Bulletin de la Société française de physique*, N°119, mai 1999, p. 24-25.
- H. This, *La gastronomie moléculaire une science de l'art culinaire*, in *Sociologie Santé*, n° 19, pp. 48-62, juillet 1999.

• H. This, *Sur la température*, in *Journal international des sciences de la vigne et du vin* (numéro hors série la dégustation), pp. 99-102, juillet 1999.

• H. This, *Lipides et goût*, in *Oléagineux, corps gras, lipides (OCL)*, vol. 6, n° 4, pp. 330-335, juillet-août 1999.

• H. This, G. Bram, et Cl. Viel, *La gélatine face aux extraits et aux bouillons de viande*, in *L'Actualité chimique*, pp. 50-54, novembre 2000.

• H. This, *La gastronomie moléculaire : la chimie n'oublie pas le citoyen qui cuisine*, in *L'actualité chimique*, pp. 58-60, novembre 2000.

• H. This, *Faisons des expériences simples*, in *La culture scientifique*, cahier numéro 4 de la Revue *Atala*, mars 2001.

• H. This, *Molecular gastronomy*, in *Angewandte Chemie*, International Edition in English, vol. 41, n °1, pp. 83-88, 2002.

• H. This, Robert Méric, Rachel Edwards-Stuart et Anne Cazor, *Comment la modélisation des recettes de cuisine peut conduire à l'alllègement*, in *Revue de nutrition pratique*, n° 17, pp. 78-85, mars 2004.

• H. This, *Les rendez-vous du goût*, in *Pédiatrie pratique*, n° 143, décembre 2002.

• H. This, *Les rendez-vous du goût*, in *Pédiatrie pratique*, n° 144, janvier 2003.

• H. This, *Les rendez-vous du goût*, in *Pédiatrie pratique*, n° 145, février 2003.

• H. This, *À chaque enfant sont goût (Les rendez-vous du goût)*, in *Pédiatrie pratique*, n° 146, mars 2003.

• H. This, *Les Ateliers expérimentaux du goût, nouveauté pédagogique*, in *Grand N*, n° 70, pp. 63-79, 2002.

• H. This, *Cuisine et émulsions*, in *Revue générale des routes (RGRA)*, n° 809, pp. 59-65, septembre 2002.

• H. This, *Who's who in food chemistry*, in *L'actualité chimique*, p. 59, février 2003.

• H. This, *La création d'un annuaire de la chimie des aliments et du goût*, in *L'actualité chimique*, p. 62-63, février 2003.

• H. This, *La gastronomie moléculaire*, in *Sciences des aliments*, vol. 23, n° 2, pp. 187-198, 2003.

• H. This et Georges Bram, *Justus Liebig et les extraits de viande*, in *Sciences des aliments*, vol. 23, pp. 577-587, 2003.

• H. This, Robert Méric, Rachel Edwards-Stuart et Anne Cazor, *Comment la modélisation des recettes de cuisine peut conduire à l'allègement*, in *Revue de nutrition pratique*, n° 17, pp. 78-85, mars 2004.

• H. This, *Molecular gastronomy*, in *The World of Food Ingredients*, avril-mai 2004, pp. 22-35.

• H. This, *Molecular gastronomy (Part II) the paradox of culinary innovation*, in *The World of Food Ingredients*, pp. 34-39, juin-juillet 2004.

• H. This, *Les livres de cuisine anciens à l'épreuve du nouveau savoir culinaire*, in *Revue critique*, 685-686 (LX), pp. 546-559, juin-juillet 2004.

• H. This, *Molecular gastronomy a scientific look to cooking*, to be published in the volume II of *Life Sciences in Transition*, numéro spécial du *Journal of Molecular Biology*.

• H. This et Francine Pellaud, *Vive la chimie, en particulier, et la connaissance en général*, in *L'actualité chimique*, n° 280-281, pp. 44-48, novembre-décembre 2004.

• H. This, *Molecular gastronomy*, in *Nature Materials*, vol. 4, n° 1, pp 5-8, janvier 2005.

• *Les chimistes nous feront-ils manger des tablettes nutritives ?*, Actes de la Fondation Robert Debré, avril 2005, Bruxelles.

• *De la gastronomie moléculaire (résultats récents)*, Actes des 46e Journées nationales de diététique et nutrition, pp. 153-163, 10 mai 2005.

• H. This, *Modelisation of dishes and exploration of culinary « precisions » the two issues of molecular gastronomy*, in *British Journal of Nutrition*, vol. 93, supplément 1, avril 2005.

• H. This, *Les chimistes nous feront-ils manger des tablettes nutritives ?*, in AMIPS *Info*, n° 72, pp. 64-73.

• H. This, *Sauce chemistry*, in *The World of Food Ingredients*, pp. 42-44, septembre 2005.

• H. This, *Cooking in schools, cooking in universities*, in *Comprehensive Reviews in Food Science and Food Safety*, vol. 5, n° 3, 2006.

• Anne Cazor et H. This, *Sucrose, glucose and fructose extraction in aqueous carrot root extracts prepared at different temperatures by means of direct NMR measurements*, in *Journal of Agricultural and Food Chemistry*, n° 54, pp. 4681-4686 (10.1021/jf060144i), 2006.

• H. This, Robert Méric et Anne Cazor, *Lavoisier and meat stock*, in *C.R. Chimie*, doi:10.1016/j.crci.2006.07.002, 2006.

• H. This, *Food for tomorrow ? How the scientific discipline of molecular gastronomy could change the way we eat*, in EMBO *Reports 7*, vol. 11, pp. 1062–1066, doi:10.1038/sj.embor.7400850, 2006.

• H. This, *Pourquoi la cuisine n'est pas une science ?*, in *Sciences des aliments*, vol. 26, n° 3, pp. 201-210, 2006.

## Par d'autres auteurs

• Harold Mc Gee, *On Food and Cooking*, Scribner, New York, 2004.

• M. Belitz et M. Grosch, Food Chemistry, Springer Verlag.

• Harold McGee, *The curious cook*, North Point Press, 1990.

• Anne Gardiner et Sue Wilson, *The inquisitive cook*, with the Exploratorium, Henry Holt and Co, New York, 1998.

• Tina Seelig, *The epicurean laboratory*, Freeman and Co, 1991.

• Nicholas Kurti (ed.), *But the crackling is superb*, Adam Hilger, 1988.

• Peter Barham, *The science of cooking*, Springer Verlag, Berlin, 2001.

• Robert L. Wolke, *What Einstein told to his cook*, Norton, New York, 2002.

• Shirley Corriher, *CookWise*, Morrow, New York, 1997.

• Andreas Viestad, *Hvordan Koke Vann*, Cappelen.

## Sites sur la gastronomie moléculaire

- Un site général, à l'INRA, avec de nombreux liens et des documents (souvent presque à jour, mais encore en construction) :

http://www.inra.fr/la_science_et_vous/apprendre_experimenter/gastronomie_moleculaire

- La Fondation Science & Culture Alimentaire (Académie des sciences) une fondation pour animer les recherches en tout genre, autour de la pratique culinaire :

http://www.academie-sciences.fr/fondations/generalites.htm
http://www.academie-sciences.fr/fondations/FSCA.htm

- Un point de vue sur les développements attendus :

http://www.blackwell-synergy.com/doi/full/10.1111/j.1541-4337.2006.00003.x.

- Les séminaires INRA de gastronomie moléculaire un rendez-vous mensuel, libre, pour explorer les pratiques culinaires. Inscription sur les listes de distribution à herve.this@paris.inra.fr. Comptes rendus accessibles sur le site de la Société française de chimie : http://www.sfc.fr/.

- Les cours INRA de gastronomie moléculaire à l'INA P-G : des cours publics et gratuits sur les travaux en cours. Organisation Clemence.wegscheider@inapg.fr.

- L'entreprise d'invention culinaire avec Pierre Gagnaire un site où, chaque mois, une application de la gastronomie moléculaire proposée par H. This est « mise en cuisine » par Pierre Gagnaire (accès libre à l'« invention » et aux recettes qui l'utilisent) http://www.pierre-gagnaire.com/francais/cdmodernite.htm.

- Les ateliers expérimentaux du goût des séances d'animation culturelle autour de la cuisine pour les écoles, collèges, etc. http://crdp.ac-paris.fr/index.htm?url=d_arts-culture/gout-intro.htm.

- Les clubs de gastronomie moléculaire, une nouvelle méthode de communication scientifique mise en œuvre en vue de transmettre des résultats de gastronomie moléculaire.

- L'Institut des hautes études du goût, de la gastronomie et des arts de la table, un institut de formation de haut niveau, pour des auditeurs de tous les pays http://www.iheggat.com/.

- Deux conférences en ligne :

http://w3appli.u-strasbg.fr/canalc2/video.asp?idEvenement=312
http://www.canalu.fr/canalu/chainev2/utls/vHtml/0/programme/63/canalu/affiche/

# Index


A

Acide 12, 14, 26, 30, 37, 39, 40, 43, 44 à 46, 56 à 59, 61, 64 à 69, 74, 87, 89, 91, 112 à 117, 119, 132, 138, 140, 142, 144, 154
Acide acétique 47, 61
Acide lactique 100, 101, 114
Acide tartrique 73, 141
Acides aminés 27, 36, 40, 41, 47, 63, 66, 77, 87, 111, 112, 122, 133, 141, 145
Acidité 14, 36, 37, 59, 74, 101, 114, 116, 117, 132, 138, 139
Agar-agar 115, 140
Albumine 58
Alcool éthylique 126
Alginates 74, 77, 115, 140
Amidon 12, 40, 58, 64, 70, 71, 75, 95, 100, 102, 105, 106, 118, 147
Amylopectine 13, 72, 105, 106, 118
Amylose 13, 72, 100, 105, 106, 118
Anthocyanine 30, 42
Artichaut 112
Astaxanthine 98
Astringence 56, 59, 76, 110

B

Bactérie 45, 100
Base 46, 66, 68, 104, 118, 139
Beurre 11, 18 à 20, 48, 70, 76, 78, 102, 105, 118, 147, 149
Blanc d'œuf 7, 10, 12, 63 à 66, 69, 74, 76 à 78, 87, 103, 106, 120 à 122, 124, 152
Blanc en neige 7, 68, 103, 104, 120, 122 à 125, 136
Bœuf 18, 47, 48, 74, 76, 84, 90, 92, 137, 141, 151
Boisson 24, 84, 127, 142
Bouchon 10, 60, 84
Bulles 7, 120 à 123, 125, 128, 143, 147, 151

C

Calcium 24, 27, 36, 74, 87, 101, 112, 114, 117, 138, 147
Calmar 84
Cancer 7, 36, 38, 81, 86
Capillarité 83, 130
Caramel 144
Carotène 131, 140
Caroténoïdes 98, 130, 133, 145, 150
Carraghénanes 6, 77, 140
Caséines 40, 58, 112, 114, 147
Cellulose 13, 36, 63, 76, 86, 117, 145, 148, 150
Champagne 109, 128
Champignon 7, 13, 45, 51, 105, 140
Chlorophylles 88, 116, 130, 140, 151
Chlorure 37, 75
Chocolat 11, 19, 30, 63
Chromatographie 54, 59, 60, 89, 113, 130
Citron 8, 30, 66, 69, 87, 101, 115, 122, 137, 138, 140, 145
Coagulation 64, 66, 103, 112, 114, 151, 152
Coalescence 115
Collagène 46, 48, 84, 92, 111, 148
Colloïdes 64, 103, 115, 147
Colorant 22, 63, 93, 97, 99, 103, 115, 147
Conduction 86
Confiture 13, 63, 78, 132
Consistance 6, 18, 28, 65, 68, 76, 78, 84, 86, 100, 112, 148
Convection 105
Couleur 14, 22, 30 à 33, 42
Crème 20, 33, 78, 87, 102, 126, 132, 142, 147
Cuisson 10, 18, 37, 46, 48, 59, 66, 69, 78, 81, 82, 84, 86, 90, 92, 94, 97, 98, 102, 105, 106, 110, 113, 116, 124, 132, 137, 138, 140, 147, 152
Cuivre 14, 88, 116, 122, 137

D

Décoction 67
Dénaturation 47, 64, 99
Dents 19, 28, 29, 125, 146, 148
Diffusion 11, 63, 78, 92, 97, 126

E

Ébullition 33, 82, 94, 104
Échalote 52, 139
Édulcorant 101
Émulsion 9, 40, 64, 68, 78, 87, 96, 103, 106, 114, 126, 142, 146, 148
Enzymes 12, 39, 67, 86, 89, 112, 116, 138, 140, 145
Exponentielle 14, 70

F

Farine 6, 33, 66, 71, 72, 94, 105, 106, 115, 118, 149
Fibres 18, 24, 28, 36, 39, 60, 64, 85, 92, 101, 128, 148
Fibres musculaires 18, 46, 48, 63, 66, 78, 84, 92, 148
Flaveur 17, 22, 23
Foie gras 11, 103
Fouet 6, 79, 120, 122, 124, 143
Four 64, 69, 86, 94, 102, 121, 124, 137
Froid 20, 21, 23 à 26, 90
Fromages 11, 26, 27, 33, 41, 109, 112, 114, 151
Fructose 18, 87, 101, 144
Fruits 8, 22, 27, 30, 31, 35, 36, 38, 54, 58, 63, 68, 74, 78, 86, 96, 101, 132, 138, 144, 146, 148, 150, 152

G

Gel 46, 59, 63, 64, 67, 72, 74, 76, 78, 97, 101, 103, 118, 142, 146, 148, 150
Gélatine 8, 46, 48, 58, 63, 64, 74, 76, 78, 87, 92, 97, 111, 115, 140, 148
Gelées 44, 46, 74, 76, 78, 132, 148
Gélifiants 8, 74, 77, 135, 150
Gélification 46, 64, 66, 74, 143, 147
Glace 84, 87, 102
Glucides 12
Glucose 13, 40, 42, 58, 72, 75, 87, 100, 105, 118, 141, 144
Gluten 70, 95
Glycérol 12, 39, 44, 119, 141
Graisse 12, 20, 21, 32, 40, 42, 44, 48, 63, 78, 81, 90, 100, 114, 118, 146

H

Haricot 15, 86, 88, 152
Homard 10, 74, 98
Huile 6, 18, 20, 38, 44, 56, 66, 68, 79, 86, 90, 95

I-J

Ion 36, 48, 74, 87, 89, 111, 112, 114, 122, 138
Jaune d'œuf 6, 65, 78, 102, 119

L

Lactose 100, 114, 151
Lait 27, 33, 40, 100, 102, 110, 112, 114, 126, 147, 150
Légumes 6, 35, 36, 38, 51, 63, 68, 76, 78, 81, 86, 96, 106, 137, 138, 144, 146, 148, 150, 152
Levure 57, 44
Liaison hydrogène 46, 72
Lipides 12, 38, 83, 90, 114, 147
Lut 94
Lysozyme 58, 76, 120

M

Macération 97
Maillard (réaction de) 10, 18, 63, 87, 90, 141
Membrane cellulaire 49, 90, 147
Meringue 69, 109, 120, 121, 124, 125
Micro-onde 69
Micro-organismes 18, 45, 49, 86, 91, 101, 114, 116, 131
Miel 30, 110
Mousse 19, 69, 120 à 123, 125, 142, 147, 148
Myosine 67

O

Œuf 6, 18, 33, 40, 47, 58, 63 à 69, 74, 76, 78, 81, 87, 96, 102, 106, 119 à 122, 124, 135, 144, 146, 149, 151, 152
Oignon 52, 87, 102, 106, 139, 140
Olfaction 17, 21, 22, 28, 138
Olive 10, 38, 56, 147
Os 18, 36, 102

Osmose 11, 87, 92, 116, 144
Ovalbumine 65, 76, 121
Oxydation 18, 38, 57, 63, 83, 91

P

Pain 35, 63, 109, 118
Papille 23, 29, 100
Paroi cellulaire 86, 148
Pastis 14, 70, 97, 109, 126
Pâte 6, 22, 66, 70, 94, 105, 118, 140, 149
Pâte feuilletée 14, 149
Pectine 13, 63, 64, 74, 86, 115, 117, 138, 145, 148, 150
Peptides 124
Phospholipides 12, 90, 147
Pianocktail 7, 142
Pigment 32, 42, 56, 89, 98, 130, 133, 145, 150
Piment 24
Point isoélectrique 67
Poisson 38, 41, 46, 59, 63, 66, 68, 74, 76, 78, 85, 87, 90, 92, 96, 102, 105, 106, 144, 146 à 148, 150, 152
Poivre 141
Polymère 12, 64, 72, 100, 105, 118
Polyphénols 8, 42, 56, 76, 138 à 141
Polysaccharides 13, 74, 76,
Pomme de terre 10, 86, 106, 143, 147
Porto 103, 109, 130
Poulet 35, 90, 91, 94
Pression 95, 107, 128, 133
Présure 112 à 114
Procédés 8, 66, 74, 82, 89, 107, 114, 117, 124, 131, 147
Protéine 6, 18, 22, 25, 26, 36, 40, 45, 47 à 49, 56, 58, 64 à 68, 70, 76, 78, 85, 90, 92, 95, 98, 100, 106, 112 à 115, 120 à 123, 129, 146 à 148, 150

R

Rassissement 118
Rayonnement 88
Récepteurs 17, 20 à 27, 29, 32, 35, 53, 100
Réduction 17, 38, 57, 103
Rétrogradation 118
Rôti 18, 63, 90, 137
Roux 102, 105

S

Saccharose 13, 75, 87, 125, 145
Salé 22, 26, 28, 30, 91, 116
Sapiction 17, 23
Sauce 6, 17, 20, 72, 78, 81, 87, 96, 100, 102 à 107, 118, 126, 137, 141, 146
Saveur 9, 17, 22, 26 à 29, 33, 54, 63, 90, 96, 110, 135, 151
Sel 33, 47, 66, 73, 87, 96, 103, 116, 122, 143, 145, 151, 152
Sodium 27, 37, 87, 101, 115, 138
Soufflé 13
Sucre 12, 20, 22, 26, 33, 39, 40, 42, 56, 63, 65, 69, 73 à 75, 77, 78, 87, 100, 102, 110, 114, 120, 124, 132, 136, 138, 141, 144 à 146, 150
Sucré 19, 26 à 28, 30, 91, 116
Surface 6, 18, 23, 24, 72, 74, 83, 91 à 93
Suspension 18, 114, 128, 146
Systèmes dispersés 7, 63, 142, 146 à 148

T

Tanin 43, 56 à 58, 76, 110, 141, 147
Tensioactif 147
Terre 9, 51, 58, 71, 110
Thé 6, 56, 69, 76, 138, 143
Tissu collagénique 19, 46, 63, 92
Trichloroanisole 60
Trigéminal 23, 28, 151
Triglycéride 12, 18, 39, 44, 81, 119

U- V

*Umami* 26, 91
Verre 30, 58, 65, 72, 94, 106, 122, 126, 128
Viande 6, 17 à 19, 27, 36, 41, 46, 48, 58, 63, 68, 76, 78, 81, 82, 86, 90 à 93, 96, 102, 106, 109, 111, 135, 136, 144 à 148, 150, 152
Vin 14, 22, 30, 35, 38 à 40, 42, 56 à 58, 60, 76, 87, 102, 104, 106, 111, 130, 141, 145, 153
Vinaigre 18, 81, 82, 103, 116, 138, 144

**Références des illustrations**

Couverture Steve Murez/Black Star ; p. 7 :AMStock Nature ; p. 11 : H. This ; p. 16 : H. This ; pp. 19-21-23 : J.-M. Thiriet ; p. 25 : PLS ; pp. 27-29-31 : J.-M. Thiriet ; p. 33 : PLS ; p. 34 : H. This ; p. 37 : J.-M. Thiriet ; p. 39 :Georgina Bowater/corbis-stock-market.com ; p. 41 : J.-M. Thiriet ; p. 42 : PLS ; pp. 43-45-47 : J.-M. Thiriet ; p. 49 : PLS ; p. 50 : H. This ; pp. 53-55-57-59-61 : J.-M. Thiriet ; p. 62 : H. This ; pp. 65-67-69-71-73-75-77-79 : J.-M. Thiriet ; p. 80 : H. This ; pp. 83-85-87 : J.-M. Thiriet ; pp. 88-89 : PLS ; pp. 91-93 : J.-M. Thiriet ; pp. 92-94-97-98-99 : H. This ; pp. 95-101-103 : J.-M. Thiriet ; pp. 105-107-108 : H. This ; p. 111 : J.-M. Thiriet ; p. 112 : H. This ; pp. 113-115 : J.-M. Thiriet ; p. 117 : PLS ; pp. 119-121-123-125-127-129-131-133 : J.-M. Thiriet ; p. 134 : H. This ; p. 137 : PLS ; pp. 139-141 : J.-M. Thiriet ; pp. 142-143 : H. This ; p. 145 : J.-M. Thiriet ; p. 147 : Matyo ; pp. 149-151 : J.-M. Thiriet ; pp. 152-153 : H. This.

Imprimé en France par Clerc s.a.s. à Saint-Amand-Montond
N° d'édition : 075087-02 - n° d'imprimeur : 9589
Dépôt légal : novembre 2007